KB137699

헨리 4세 2부

셰익스피어학회 총서 025

헨리 4세 2부

King Henry IV Part II

윌리엄 셰익스피어 지음
권오숙 옮김

도서출판 동인

발간사

지금까지 셰익스피어 작품에 대한 번역은 끊임없이 다양한 동기에 의해 진행되어 왔다. 초창기 셰익스피어 작품 번역은 일본어 번역을 우리말로 옮기는 작업이었다. 일본이 서구에 대한 수용을 활발한 번역을 통해서 시도하였기 때문에 일본어를 공부한 한국 학자들이 번역을 하는 데 용이했던 까닭이었다. 하지만 이 경우는 문학적인 차원에서 서구 문학의 상징적 존재인 셰익스피어를 문학적으로 소개하는 것이 목적이어서 문어체를 바탕으로 문장의 내포된 의미를 부연하게 되어 매우 복잡하고 부자연스러운 번역이 주조를 이루었던 것이 문제가 되었다.

그 다음 세대로서 영어에 능숙한 학자들이나 번역가들이 셰익스피어 번역에 참여하게 되었다. 셰익스피어 작품에 대한 수많은 주(note)를 참조하여 문학적 이해와 해석을 곁들인 번역은 작품의 깊이를 파악하는 데 많은 도움이 되었다고 볼 수 있다. 하지만 셰익스피어 작품을 무대에 올리는 배우들에게는 또 다른 문제가 생길 수밖에 없었다. 문학적 해석을 번역에 수용하는 문장은 구어체적인 생동감을 느낄 수 없었고, 호흡이 너무 길어 배우가 대사로 처리하기에 부적합하였다.

이런 문제점을 해결하기 위해서 번역가마다 각자 특별한 효과를 내도록 원서에서 느낄 수 있는 운율적 실험을 실시하기도 하였다. 그런 시도는 셰익스피어 번역에 새로운 분위기를 자아내었을 뿐 아니라 다양한 번역이 이루어져 나름의 의미가 있었다고 본다. 반면에 우리말을 영어식의 운율에 맞추는 식의 인위적 효과를 위해서 실험하는 것은 배우들이 대사 처리하기에 또 다른 부자연성을 느끼게 하였다.

한국에서 셰익스피어를 연구하는 학자들이 모이는 한국셰익스피어학회에서 셰익스피어 탄생 450주년을 기념하여 셰익스피어 전작에 대한 새로운 번역을 시도하기로 하였다. 우선 이번 번역은 셰익스피어 원서를 수준 높게 이해하는 학자들이 배우들의 무대 언어에 알맞은 번역을 한다는 점에서 차별성을 두고자 한다. 또한 신세대 학자들이 대거 참여하여 우리말을 현대적 감각에 맞게 구사하여 번역을 하자는 원칙을 정하였다.

시대가 바뀔 때마다 독자들의 언어가 달라지고 이에 부응하는 번역이 나와야 한다고 본다. 무대 위의 배우들과 현대 독자들의 언어감각에 맞는 번역이란 두 마리 토끼를 잡는 것은 그리 쉬운 일은 아니지만 매우 의미 있는 일일 것이다. 이번 한국 셰익스피어 학회가 공인하는 셰익스피어 전작 번역이 성공적으로 이루어지도록 뒷받침하는 도서출판 동인의 이성모 사장에게 심심한 감사의 뜻을 전하며 인문학의 부재의 시대에 새로운 인문학의 부활을 이루어내는 계기가 되리라 믿는다.

2014년 3월

한국셰익스피어학회 17대 회장 박정근

옮긴이의 글

셰익스피어 텍스트 번역은 늘 역자를 주눅 들게 한다. 이미 『햄릿』, 『맥베스』, 『오셀로』를 번역하면서 좌절을 충분히 경험했기에 본 텍스트 번역은 비교적 가벼운 마음으로 시작했다. 하지만 『헨리 4세』 2부는 앞의 작품들과는 또 다른 벽을 갖고 있었다. 폴스타프를 필두로 이스트칩에 등장하는 술집 여주인, 돌 티어쉬트, 피스톨 등의 거친 말투와 온갖 욕설들이 번역하기 난해했다. 또한 수없이 등장하는 영국의 지명, 그 지역의 특정 문화적 요소도 번역하기 쉽지 않았다. 거기다 폴스타프를 비롯한 많은 등장인물들이 사용하는 수많은 민속적 비유와 농담 등은 이해하기조차 힘들었다. 끝없이 주석을 읽고 인터넷에서 리서치하며 번역했으나 여전히 부족함을 느낀다.

본 번역은 A. R. Humphreys가 편집한 Arden판(1989년 인쇄본)을 텍스트로 한 것이다. 역사물인데다 폴스타프처럼 두드러진 개성을 지닌 등장인물들이 많이 등장하기 때문에 무엇보다 등장인물의 지위와 성격이 잘 드러나도록 어투 선정에 유의했다. 등장인물의 인명과 지명 발음은 앞서 출간된

임도현 선생님의 1부를 가능한 한 따랐다. 비록 2부이기는 하지만 셰익스피어의 독특한 사극의 경지를 이룬 걸작을 독자들이 이해하는 데 조금이라도 도움이 되었으면 하고 기원해본다.

2016년 방학골에서

권오숙

| 차례 |

발간사 5
옮긴이의 글 7

등장인물 10

서막 12
1막 15
2막 43
3막 81
4막 103
5막 147
에필로그 174

작품설명 177
셰익스피어 생애 및 작품 연보 183

등장인물

장소: 잉글랜드

풍문 서사 역
헨리 4세
웨일즈의 헨리 공 세자, 후에 헨리 5세가 됨.
랑카스터의 존 공
글로스터의 험프리 공 왕자들
클라렌스의 토마스 공
헨리 퍼시 노섬벌랜드 백작
요크 대주교
모우브레이 경
헤이스팅즈 경
바돌프 경
기사 존 콜빌
트래버즈
모튼 노섬벌랜드의 부하
워리크 백작
웨스트멀랜드 백작
써리 백작
기사 존 블런트
가우어
하코트
대법원장
대법원장의 하인
기사 존 폴스타프
폴스타프의 시동
바돌프
피스톨
포인즈
피토

로버트 섈로우 지방판사
사일런스 지방판사
데이비 섈로우의 하인
팽/스네어 두 명의 순사
랠프 몰디
사이먼 섀도우
토마스 워트
프란시스 피블
피터 불캐프
프란시스와 다른 술집급사들
노섬벌랜드 부인 노섬벌랜드의 아내
퍼시 부인 퍼시의 미망인
퀵클리 주모 이스트 칩의 술집 주인
돌 티어쉬트
에필로그 연사
형리들과 기타 관리들, 궁내관들, 문지기, 사자, 병사들, 귀족들, 악사들, 시종들

서막

월크웤스, 노섬벌랜드의 성 앞

온통 혀가 그려진 옷을 입은 풍문 등장

풍문 귀를 활짝 여십시오. 여러분 중에서 과연 누가
풍문이 큰 소리로 말할 때 귀를 막겠습니까?
저는 바람을 파발마 삼아서,
동쪽에서부터 해지는 서쪽까지 이 지구상에서
5 벌어진 사건들을 다 퍼뜨리고 다닙니다.
끝없는 중상모략이 내 혀를 타고 다니니,
저는 온갖 언어로 거짓된 보고를
사람들 귀에 쏟아 붓습니다. 겉으로는
안전한 척 미소 짓는 가운데 숨어있는 적의가
10 세상에 생채기를 낼 때 평화 운운합니다.
그러니 풍문인 내가 아니고서야 누가 겁에 질려
군대를 소집하고 방어 태세를 갖추게 하겠습니까?
다른 불안 요인이 가득한 소란스러운 해에
무시무시한 전쟁이 이어질 거라고 생각되지만
15 실제로는 아무 일도 벌어지지 않을 때에 말입니다.
풍문은 추측, 의심, 억측이 불어대는 피리입니다.
그 피리는 아주 불기가 쉽고 간단하여

수없이 많은 머리를 지닌 멍청한 괴물인
늘 의견이 일치하지 않아 흔들리는 군중이
쉽게 불어댑니다. 허나 이리 유명한 이 몸을 20
굳이 관객 여러분에게 설명할 필요가
뭐 있겠습니까? 풍문이 여기 왜 왔겠습니까?
저는 해리 왕이 승전하기 앞서 달려왔습니다.
왕은 슈르스베리의 피비린내 나는 전장에서
핫스퍼와 그의 군대를 격파하여 25
대담한 반역의 불길을 반역자들의 피로
꺼버렸습니다. 그러나 제가 사실을 먼저
말씀드리는 이유가 뭐겠습니까? 제가 할 일은
해리 몬머스가 고결한 핫스퍼가 휘두르는 격렬한
칼에 찔려 쓰러졌고 더글라스의 맹위 앞에 30
국왕은 신이 성유를 바르신 그 머리를
죽은 듯이 조아렸다는 소문을 퍼뜨리는 것입니다.
이미 이런 소문을 슈르스베리의 국왕 진영과
핫스퍼의 아버지 늙은 노섬벌랜드가
꾀병으로 누워있는, 거친 돌로 지은 35
낡은 성 사이에 있는 시골 마을들에
다 퍼뜨렸습니다. 파발꾼들은 열심히 달려오겠지만
그들 중 누구 하나 내게서 들은 것 외에
다른 소식을 가져오는 자 없습니다. 이 풍문의 입을 통해
그들은 진실한 나쁜 소식보다 해로운, 달콤한 거짓 위안을 전합니다. 40

1막

1장

월크월스, 노섬벌랜드의 성 앞

바돌프 경 등장

바돌프 경 여봐라, 문지기 없느냐?

문지기 등장

문지기 뉘라 아뢰오리까?
바돌프 경 백작님께
바돌프 경이 뵙기를 청한다고 아뢰어라.
문지기 백작님께서는 정원을 거닐고 계십니다.
5 송구하오나 나리께서 문을 두드리시면
직접 대답하실 것입니다.

노섬벌랜드 등장

바돌프 경 백작님께서 오시는구나. [문지기 퇴장]
노섬벌랜드 바돌프 경, 웬일이오? 지금은 시시각각
엄청난 일이 벌어질 것만 같소이다.
시절이 하도 흉흉하여, 불화는 마치
10 실컷 먹고, 미쳐 날뛰어 고삐를 끊고는

눈앞에 보이는 건 다 짓밟아버리는 말과 같소.

바돌프 경 고결하신 백작님.

소인은 슈르스베리로부터 확실한 소식을 기지고 왔습니다.

노섬벌랜드 오, 부디 좋은 소식이기를!

바돌프 경 더없이 좋은 소식이옵니다.

국왕은 부상을 당하여 사경을 헤매고

백작님 아드님이 운이 좋으셔서 15

해리 왕자를 단칼에 베었습니다. 블런트 가의 두 사람은

더글러스의 손에 죽었고, 어린 랑카스터와

웨스트멀랜드, 스태포드는 전장에서 도망쳤사옵니다.

해리 몬머스의 거구 친구인 살찐 돼지 기사 존은

아드님의 포로가 되었습니다. 오, 그렇게 싸우고 20

쫓고, 멋지게 승리를 거둬

시대를 빛낸 날은 시저의 승전이래,

처음입니다!

노섬벌랜드 그 소식을 어디서 들었소?

전장에서 직접 보았소? 슈르스베리에서 오는 길이오?

바돌프 경 백작님, 그곳에서 오는 자로부터 들었습니다. 25

명망 있는 집안에서 훌륭한 교육을 받고 자라신 한 신사양반이

이 소식들이 사실이라고 허심탄회하게 말씀하셨습니다.

노섬벌랜드 저기 내가 지난 화요일에 전장의 소식을 듣고 오라고 보냈던

하인 트래버즈가 오는군.

트래버즈 등장

30 **바돌프 경** 나리, 제가 말을 타고 오던 중 저자를 앞질러 와서
저자는 아마도 내 말을 그대로 옮기는 것 외에는
확실한 정보가 아무 것도 없을 것입니다.

노섬벌랜드 그래, 트래버즈, 어떤 좋은 소식을 가지고 왔느냐?

트래버즈 나리, 존 엄프레빌 경이 좋은 소식을 들려주면서
35 소인을 돌려보내시고는 그분의 말이 더 좋은지라
저를 앞질러가셨습니다. 그 뒤를 너무 빨리 달리느라
기진맥진한 한 신사분이 열심히 박차를 가하며 달려왔는데
피투성이 말에게 숨 쉴 틈을 주느라 잠시 제 곁에 멈추셨습니다.
그분은 체스터로 가는 길을 물으셨고 소인은 그분에게
40 슈르스베리의 소식을 여쭤보았습니다.
그분은 역모자들이 불운하여
젊은 해리 퍼시의 박차가 식었노라 하셨습니다.
그러고는 날뛰는 말의 고삐를 늦춰주더니
몸을 앞으로 수그린 뒤 불쌍한 말의
45 헐떡이는 옆구리에 힘껏 박차를 가하면서
출발한 뒤 마치 길을 다 삼켜버릴 듯이
달리셔서 미처 다른 질문을 할
겨를이 없었습니다.

노섬벌랜드 뭐라고? 다시 말해보거라!
젊은 해리 퍼시의 박차가 식었다 했다고?
50 핫스퍼의 박차가 식었다고?[1]

역모자들이 불운을 맞았다고?

바돌프 경 나리, 제 말씀 들어보십시오.

만약 아드님이 오늘 전투에서 승리하지 못하셨다면

제 명예를 걸고 저의 남작 작위를

비단 끈 한 조각과 바꾸겠습니다. 그런 말씀 거두십시오.

노섬벌랜드 그렇다면 트래버즈 곁을 지나갔던 신사가 55

왜 그런 패전의 상황들을 얘기했겠소?

바돌프 경 누구요, 그자 말씀입니까?

그자는 타고 있는 말을 훔친 비열한 자일 것입니다.

제 목숨을 걸고 맹세하는데 그자는

멋대로 지껄였을 것입니다. 또 소식들이 왔습니다.

모튼 등장

노섬벌랜드 그래, 이자의 얼굴은 마치 책의 속표지처럼 60

비극적인 책의 내용을 미리 말해주는구나.

거친 파도가 할퀴고 지나간 자국을 남긴

해안의 모습과 같구나.

말해보거라, 모튼, 슈르스베리에서 온 것이냐?

모튼 그러하옵니다. 고결하신 나리. 65

그곳에서는 가증스런 죽음이 추악하기 이를 데 없는 가면을 쓰고

아군을 위협하고 있었습니다.

---

1. 핫스퍼(Hot spur)의 박차가 식은 박차(Cold spur)가 되었다고 말한 것이다.

노섬벌랜드 나의 아들과 동생은 어찌 되었느냐?
너의 덜덜 떠는 몸과 창백한 얼굴이
너의 전갈을 전할 혀보다 더 여실히 보여주는구나.
70 슬픔에 사로잡혀 그렇게 연약하고, 기운 없고, 침체된 모습에
죽은 자와 같은 창백한 표정을 지닌 자가
한밤중에 프라이엄 왕의 커튼을 걷고
트로이의 절반이 소실되었다고 말했을 것이다.
허나 그가 말하기도 전에 프라이엄 왕이 화재를 눈치 챘듯이
75 나도 그대가 말하기 전에 퍼시가 죽었음을 알겠노라.
그대는 이리 말할 것이다. '아드님께서는 이러이러 하셨고,
아우님께서는 저러저러하셨습니다. 고결한 더글라스 님은 그렇게 싸우셨습니다.'
그렇게 그들의 무용담으로 나의 굶주린 귀를 채우고는
종국에, 내 귀를 진짜 멀게 하기 위해
80 한숨으로 이런 칭찬들을 날려 보내고 끝맺을 것이다.
'아우님, 아드님을 비롯하여 전원 사망하셨습니다'라고.

모튼 더글라스 님과 아우님은 아직 살아계십니다.
하지만 아드님께서는—

노섬벌랜드 그럼, 그 애는 죽었구나.
봐라, 준비된 혓바닥이 어떤 의심을 지녔는지를!
85 알고 싶지 않은 것을 두려워하는 자는
다른 사람들의 눈을 보고 자신이 두려워하는 일이
벌어졌음을 직감적으로 알게 된다. 허나 모튼,

내게 나의 직감이 틀렸다고 말해다오.
그럼 난 그걸 고마운 모욕으로 여기며
날 모욕한 대가로 널 부자로 만들어줄 테니. 90

모튼 너무 지체 높으신 분이라 거역할 수가 없습니다.
나리의 직감은 사실 그대로이고, 우려하시는 바 그대로입니다.

노섬벌랜드 그래도, 설사 그렇다하더라도, 퍼시가 죽었다고는 말하지 마라.
네 눈에 불편한 고백의 기미가 보이는구나.
넌 머리를 흔들며 사실을 말하길 두려워하거나 95
죄스러워 하는구나. 만약 그 애가 죽었다면 그렇다고 말하거라.
그의 죽음을 알리는 혀에 무슨 죄가 있겠느냐.
그의 죽음에 대해 거짓말을 하는 자가 죄를 짓는 것이지.
죽은 자를 두고 죽었다고 말하는 자가 무슨 죄가 있겠느냐.
하지만 반갑지 않은 소식을 가장 먼저 알리는 자는 100
칭찬받지 못할 일을 하는 게지. 그리고 그 말을 전한
목소리는 슬픈 조종처럼 들려
떠나는 친구의 죽음을 알리는 종소리로 기억될 것이다.

바돌프 경 백작님, 저는 아드님이 돌아가셨다는 사실을 믿을 수가 없습니다.

모튼 제가 보지 않았더라면 하고 바라는 것을 믿으셔야 한다고 105
말할 수밖에 없어 안타깝습니다.
하지만 그분이 피투성이가 된 채
지치고, 숨이 차서 해리 몬머스에
겨우 대적하다가 그자가 격하게 내려치는 단칼에
불굴의 퍼시 님이 땅에 쓰러져 110

다시는 생명의 불길이 살아나지 못하셨습니다.
요컨대, 그분의 기백이 아군 진영의
가장 우둔한 농부에게까지 용기를 불어넣고 있었던지라
그분의 죽음 소식이 알려지자 아군의 가장 용감한 자에게서조차
115 기백과 열정을 앗아가 버렸습니다.
아군은 그분의 기백으로 강건했던 바
그 기질이 사라지자 모두들
둔하고 무거운 납덩이같은 본래의 기질로 돌아갔습니다.
그리고 자체가 무거운 것은 힘을 받으면
120 엄청난 속도로 날아가듯이
핫스퍼 님의 상실로 사기가 떨어진 아군은
그 무게에 두려움이란 날개까지 보태
목표를 향해 날아가는 화살도
안전을 도모하여 전장에서 도망가는 아군보다
125 빠르지는 않았을 것입니다. 그리고 나서 고결한 우스터 나리도
곧 포로가 되셨고 훌륭한 검술 실력으로
왕의 모습을 한 자를 세 명이나 벤
스코틀랜드의 용사, 피투성이 더글라스 나리께서도
용기를 잃기 시작하셔서 등을 돌려 도망간 자들의
130 수치스러운 행동을 변호라도 하듯이 겁에 질려 허둥지둥
도망가다 체포되셨습니다. 결국
국왕의 군대가 승리를 거두었고 왕은
젊은 랑카스터와 웨스트멀랜드 휘하의 병사들을

백작님을 잡기 위해 곧장
파병하였습니다. 이상입니다. 135

노섬벌랜드 이 일에 대해서는 차후 애도의 시간을 가질 수 있으리라.
독에도 약효는 있는 법. 그대의 소식은
내가 건강했더라면 나를 병들게 했을 테지만,
병들어 있던 나를 오히려 낫게 만들어주는구나.
가련한 자의 열병으로 쇠약해진 관절이 140
힘없는 경첩처럼 살아있는 몸의 무게에 무너지고
발작을 견디지 못하고 간호인의 품 안에서
불같이 뛰쳐나가듯이, 나의 사지도
슬픔으로 쇠약해졌지만, 이제 그 슬픔으로 격분하여
원래보다 세 배는 강해졌다. 그러니, 사라져라, 목발아! 145
이제 쇠사슬 장갑을 이 손에
껴야 한다. 그러니 사라져라, 병자의 두건아!
넌 정복의 맛을 본 군주들이 내려치려는
이 머리를 지키기에는 너무 나약하다.
이제 내 이마에는 강철을 둘러라. 그리고 오너라. 150
악의에 찬 시대가 격노한 이 노섬벌랜드에게
인상을 쓰는 고난의 시간이여.
하늘이 땅과 입 맞추게 하라! 대자연의 손이
거친 홍수를 막아두게 하지 마라! 질서는 죽어 사라지게 하라!
이 세상을 더 이상 질질 끌면서 논쟁이나 하는 155
무대로 만들지 마라.

모두의 마음을 첫 인류인 카인의 원한이
지배하게 하라. 각자의 마음을 잔인한 방향으로
정해 사나운 장면으로 막을 내리고
160 어둠이 죽은 자들의 매장지가 되게 하라!

바돌프 경 이렇게 너무 흥분하시면 해롭습니다, 나리.

모튼 백작님, 부디 명예에 걸맞게 이성을 지켜주십시오.
백작님이 아끼시는 동조자들의 목숨이
백작님의 건강에 달려있습니다. 그런데 너무 거센 격정에
165 굴복하시면 건강을 잃으실 것입니다.
고결하신 백작님. 백작님은 전쟁의 결과를 예측하셨고
'군대를 일으키자'라고 말씀하시기 전에
승패의 가능성을 계산하셨습니다. 전투 중에
아드님이 쓰러질지 모른다고도 예측하셨습니다.
170 백작님은 아드님이 위험한 난간 위를 걸어
무사히 지나가기보다는 떨어질 가능성이 높다는 것을 아셨습니다.
그분의 육신도 상처 입을 수 있고
그분의 저돌적인 기질로 인해
아주 위험한 상황을 맞이할 수도 있음을 아셨습니다.
175 그럼에도 '출전하라'고 말씀하신 것은, 이 모든 것을
충분히 예측하셨지만 굳은 결심에서 나온 행동을
막지는 못하신 것입니다. 그렇다면 이 대담한 거사에서
일어나리라고 예측한 것보다 더한 일이 생긴 게 뭐가 있으며
더 나쁜 결과가 무엇이겠습니까?

바돌프 경 이번 패배에 관여했던 우린 모두 180
우리가 위험한 항해를 감행하려 하니 목숨을 보전하는 자가
있다 해도 열에 하나일 것임을 알고 있었습니다.
그럼에도 예상되는 이득이 우려되는 위험을
압도했기에 모험을 강행하였습니다.
이제 우리의 배는 전복되었으나 다시 모험을 강행합시다. 185
자, 우리의 몸과 재물을 다 바칩시다.

모튼 때는 무르익었습니다. 하오며 백작 나리.
소인이 분명히 들은 바를 사실대로 아뢰겠나이다.
고결하신 요크 대주교님이 잘 무장한 군대를 이끌고
출정하셨다 하옵니다. 그분은 190
영적으로나 물적으로나 추종자들을 결속시키는 분입니다.
백작님의 아드님께서는 인간의 그림자요 겉모습에 불과한
육신만으로 싸우셨습니다.
왜냐하면 '반역'이란 단어는 육신의 행위에서
정신을 분리시켜버리기 때문입니다. 195
그래서 그들은 독약을 마시듯이 마지못해
싸우니 그들의 무기는
우리 편인 것 같지만 '반역'이라는 단어가
그들의 정신과 영혼을 마치 연못 속의 물고기처럼
얼어붙게 만듭니다. 허나 이제 대주교님께서 200
반역을 신성한 일로 바꾸어놓으셨습니다.
그분의 생각은 진솔하고 신성한 것으로 여겨지니

모두들 물심양면으로 그분을 따르고 있습니다.
또한 폼프리트 성의 돌들에서 긁어모은 훌륭하신 리처드 왕의
205 피로 인해 그의 거병은 세력이 늘고 있습니다.
그분은 반목의 대의명분을 하늘에서 구하고
막강한 볼링브로크 밑에서 피 흘리고 숨통이 막힌
나라를 구하고자 봉기했노라고 말하니
지휘고하를 막론하고 모두들 그분을 따르려 모여들고 있습니다.

210 **노섬벌랜드** 그에 대해서는 이미 알고 있었으나, 솔직히 말해
슬픈 소식 때문에 잊고 있었노라.
자, 함께 안으로 들어가 모든 이들과
안전을 도모하고 복수할 수 있는 가장 좋은 방법을 논의해보자.
파발을 보내 서둘러 동지들을 규합해보자.
215 동지가 이렇게 적은 적도, 또 이렇게 필요한 적도 없었노라.

[일동 퇴장]

2장

런던, 거리

기사 존 폴스타프와 그의 칼과 방패를 든 시동 등장

폴스타프 이 꼬마 거인 녀석아, 의사가 내 소변이 어떻다고 하더냐?

시동 나리, 의사나리께서 소변은 건강하고 괜찮은데 그 소변의 주인은 의사나리가 알고 있는 것보다도 더 많은 병을 가지고 있다 하시던데요.

폴스타프 온갖 놈들이 다 날 놀리면서 뿌듯해하는구나. 어리석음이라는 5 진흙으로 만들어진 인간의 두뇌로는 내가 만들어내거나, 아님 나에 대해 말하는 것 말고는 우스갯소리를 만들지 못하는구나. 나는 나 자신도 재치 있지만 다른 사람들까지 재치 있게 만든단 말이야. 내가 네 앞에서 걸으니 마치 새끼를 한 마리만 빼고는 모두 깔 10 아뭉개 죽인 돼지 같구나. 핼 왕자가 네 놈을 내 시종으로 보낸 것은 분명 나를 더 돼지처럼 보이게 하려는 속셈일 게다. 암 그렇고 말고. 야 이 땅꼬마 녀석아. 넌 내 뒤꿈치를 따라다니기보다는 내 모자의 장신구가 되는 게 더 어울려. 난 지금까지 구슬만한 놈을 15 하인으로 둔 적은 없지만 네 놈을 은이나 금에 박는 대신 형편없는 옷을 입혀 보석 대신 네 주인에게 돌려보내겠다. 아직 턱에 수염도 안 난 새파랗게 어린 네 주인 왕자에게 말이다. 아마 그 작자 턱에 수염이 나기 전에 내 손바닥에 털이 날 게다. 그런데도 그자 20

는 자기 얼굴이 제왕의 얼굴이라고 지껄여댄단 말이야. 하나님이 뜻하실 때 나긴 나겠지만 어쨌든 지금은 한 오라기도 나지 않았어. 하긴 이발사가 그자 얼굴로는 단돈 6펜스도 벌지 못하니 제왕의 얼굴이라고 할만도 하지. 그런데 그자는 지 애비가 홀아비가 된 뒤로 마치 사내라도 된 양 거들먹거린단 말이야. 왕자로서의 품위를 지킬지 모르지만 내겐 어림없지. 암 그렇고말고. 돔멜턴 재단사는 내 짧은 외투와 바지를 만들 공단에 대해 뭐라 하더냐?

시동 나리, 재단사 나리께서 바돌프 님보다 더 확실한 보증인을 세워 달라십니다. 그 나리께서는 바돌프 님의 보증서도 나리의 보증서도 받지 않으시겠답니다. 보증인이 맘에 안 드신다고요.

폴스타프 대식가처럼 지옥에나 떨어져라! 하나님 제발 그놈의 혀가 더 뜨거워지게 하소서![2] 염병할 아히토펠[3] 같은 놈! 앞에서만 굽실거리는 악당 같으니, 나 같은 신사를 꼬이더니 이제 와서 보증을 세우라고! 요즘 그런 빡빡머리[4] 기술쟁이 놈들이 굽 높은 신발만 신고 허리춤엔 열쇠꾸러미를 잔뜩 차고 다닌다니까.[5] 기껏 그놈들이랑 정직한 외상거래를 하기로 얘기를 다 끝내고 나면 놈들은 보증을 요구한단 말이야. 그놈들이 보증인을 들먹이며 내 입을 막게 하느니 차라리 내 입에 쥐약을 넣게 하겠다. 내가 진짜 기사

---

2. 지옥불에 타서 뜨거워지게 해달라는 저주이다.
3. 성서에 나오는 인물로 다윗 왕이 신임했던 부하 중 한 명이었으나 다윗 왕의 아들 압살롬이 일으킨 모반에서 주도적인 역할을 했다. 역모가 실패로 돌아갈 것을 예상하고 자살한다.
4. 당시 청교도 장인들은 유행하던 긴 머리를 경멸하여 머리를 짧게 깎았다.
5. 굽 높은 신발이란 그들이 신분 상승을 도모함을 비꼬는 말이다.

니까 그자가 공단 60자 쯤 보내겠거니 했더니 보증인을 세우라고 해! 그놈 이마에 잔뜩 뿔이 났는데도[6] 보증만 믿고 자빠져 자게 냅둬. 그 덕에 바람기 있는 그놈 마누라만 신나게 생겼군. 그래도 그놈은 그걸 비춰줄 등잔불을 머리에 지니고서도 보지 못할 게다. 바돌프는 어디 갔느냐? 45

시동 나리 말을 사러 스미스필드로 가셨습니다. 50

폴스타프 난 그 녀석을 세인트폴 성당에서 샀는데 그 녀석은 스미스필드로 내 말을 사러 갔구나. 그렇다면 사창가에서 마누라만 사면 하인도 있고, 말도 있고, 마누라까지 다 갖추겠구나.

대법원장과 하인 등장

시동 나리, 저기 바돌프 님 일로 자기를 때렸다고 왕자님을 감옥에 넣은 그 귀족 나리가 오십니다. 55

폴스타프 내 뒤에 바짝 붙어라. 만나고 싶지 않으니.

대법원장 저기 가는 자가 누구냐?

하인 황공하옵니다만 폴스타프입니다.

대법원장 노상강도 혐의로 취조를 받던 자 아니냐? 60

하인 바로 그자입니다, 나리. 그런데 슈르스베리 전투에서 공적을 세워, 지금은 어떤 직무를 맡아 랑카스터 공 존 왕자님께 가는 길이라 들었습니다.

대법원장 뭣이라, 요크로 간단 말이냐? 저자를 불러 세워라.

하인 폴스타프 나리! 65

---

6. 서양에서는 바람난 아내를 둔 사내의 머리에는 뿔이 돋는다고 믿었다.

폴스타프 얘야, 내가 귀가 먹었다고 해라.

시동 좀 더 크게 말씀하셔야 합니다. 저희 나리께서 귀가 먹어서요.

대법원장 분명 그럴 게다. 특히 좋은 소리는 안 들릴 게다. 가서 저자의 팔꿈치를 잡아끌어 오너라. 저자와 얘기 좀 해야겠으니.

70 **하인** 존 나리!

폴스타프 뭐! 젊은이가 구걸을 하다니! 전시가 아니더냐? 그런데도 일자리 얻지 못해? 폐하께 신하가 부족하지 않더냐? 반란군 세력에도 병사가 필요할 테고? 한 편을 제외하고는 어떤 편을 들어도 부끄
75 러운 일이지만, 구걸하는 것은 가장 못된 편을 드는 것보다도 더 부끄러운 짓이다. 비록 역모라는 이름으로 나타낼 수 있는 것보다 더 나쁜 일이라 할지라도.

하인 뭔가 오해하신 것 같습니다, 나리.

폴스타프 뭐, 내가 자네를 정직한 사람이라고 했다고? 내 기사 작위와
80 전사 신분을 제쳐두고, 내가 그런 말을 했다면 그건 새빨간 거짓말을 한 걸세.

하인 나리, 나리의 기사 작위와 전사 신분을 제쳐두고, 나리가 만약 내가 정직한 사람이 아니라고 말씀하신다면 그건 새빨간 거짓말이
85 라고 감히 말씀드리는 걸 양해해주십시오.

폴스타프 내게 그렇게 말하는 걸 양해하라고? 내 몸의 일부인 작위를 제쳐두라고? 만약 내가 그걸 허락하면 내 목을 매라. 네가 그것들을 떼어내려 한다면, 네 놈 목을 매는 게 나을 게다. 너 사람 잘못 봤다. 어서 썩 꺼져!

90 **하인** 나리, 저희 나리께서 나리와 얘기를 나누고 싶어 하십니다.

대법원장 존 폴스타프 경, 잠시 얘기 좀 합시다.

폴스타프 나리! 가내 무고하시길 빕니다. 편찮으시다고 들었는데 이리 출타하신 모습을 뵈오니 기쁘기 그지없습니다. 의사의 조언에 따라 출타하신 것이겠지요? 나리, 비록 나리의 젊음이 완전히 사라진 것은 아니지만 연세가 좀 있으시고 연륜이 좀 되셨으니 부디 건강에 각별히 유의하시길 바랍니다. 95

대법원장 존 경. 내 슈르스베리로 출전하기 전에 그대를 소환하러 사람을 보냈소. 100

폴스타프 황송하오나 나리, 폐하께서 병환으로 웨일즈에서 돌아오신다고 들었습니다.

대법원장 폐하 얘길 하고 있는 게 아니잖소. 그대는 내가 소환했는데 오지 않았소. 105

폴스타프 게다가 폐하께서 예의 그 몹쓸 뇌졸중에 걸리셨답니다.

대법원장 그렇다면 쾌유하시기를! 이제 나랑 얘기 좀 합시다.

폴스타프 그놈의 뇌졸중이란 것이 제가 알기로는 일종의 마비증상인데 황공하오나 일종의 혈액순환이 중지되는 것으로서 염병하게 쑤신다고 합니다. 110

대법원장 그래서 어쨌다는 거요? 그건 그거고.

폴스타프 그 병은 과도한 슬픔, 학문의 정진, 뇌 충격 등에서 오는 것으로 저는 갈레노스[7]의 의서에서 그 증상의 원인을 읽었사옵니다. 그건 일종의 귀머거리 증상이라 합니다. 115

---

7. 유명한 그리스의 의사로서 "의사는 자연의 머슴이다"라는 유명한 말을 하였다. 그는 의술보다 섭생, 훈련을 중시했다.

대법원장 내 생각엔 그대가 그 병에 걸린 것 같소. 도대체 사람의 말을 듣지 않으니.

폴스타프 바로 그겁니다. 나리, 바로 그거라고요. 아니, 황공하오나 그 병은 남의 말을 듣지 않는 병이요, 집중을 못하는 병인데 제가 바로 그 병을 앓고 있단 말씀입니다.

대법원장 차꼬를 채이면 그대 귀들의 집중력이 나아질 게요. 내가 그대 의사가 되어도 좋고.

폴스타프 저는 욥[8]처럼 가난하지만 나리, 그처럼 참을성은 없습니다. 제가 가난하다는 이유로 투옥이라는 처방을 내리실 수는 있어도 제가 나리의 처방에 따르는 환자가 되어야 하는지는 지혜로운 사람들이라면 조금은 의심할 수 있는, 아니 반드시 의심할만한 일입니다.

대법원장 난 그대의 생명을 위협하는 일이 있어 그 문제를 논의하자고 소환했던 거요.

폴스타프 그때 소인은 이 나라의 군법에 정통하신 분의 충고에 따라 가지 않은 것입니다.

대법원장 어쨌든 존 경, 그대는 큰 오명 속에 살고 있소.

폴스타프 저처럼 큰 벨트를 하고 사는 사람은 더 적은 것을 입고는 살 수 없습니다.[9]

대법원장 그대는 수입은 아주 적은데 펑펑 쓰며 살고 있소.

---

8. 가혹한 시련을 견뎌내고 믿음을 굳게 지킨 인물로서 알려진 구약성서 ≪욥기≫의 주인공이다.
9. 폴스타프는 일부러 대법원장의 말을 못 알아듣는 척 엉뚱한 소리를 한다.

폴스타프 저도 그 반대였음 좋겠습니다. 수입은 더 많아지고 지출은 적어졌으면 하고 말입니다.

대법원장 그대는 젊은 왕자를 잘못된 길로 이끌어왔소.

폴스타프 젊은 왕자님이 저를 잘못된 길로 이끈 것입니다. 저는 너무 큰 배를 가진 사람이고, 왕자님은 그런 저를 끄는 개[10]이십니다. 145

대법원장 어쨌든 이제 막 아물려는 상처를 건드리고 싶지는 않소. 그대가 슈르스베리에서 낮에 쌓은 무공 덕에 개즈힐에서 밤에 저지른 범행이 다소 덮였소. 그대는 이 난세 덕에 그때 일이 무사히 넘어가게 된 것을 감사해야 할 거요. 150

폴스타프 나리! —

대법원장 하지만 이제 모든 게 잠잠해졌으니 명심하길 바라오. 잠자는 늑대를 깨우지 않도록.

폴스타프 늑대를 깨우는 것은 여우 냄새를 맡는 것만큼이나 나쁜 짓이지요.[11]

대법원장 뭐라고? 그대는 촛불 같구려. 좋은 부분들은 다 타버린.[12] 155

폴스타프 대형 양초이지요, 나리. 온몸이 비곗덩어리니. 밀랍이라면 저의 이 큰 덩치가 제가 진실한 사람임을 증명할 텐데요.

대법원장 얼굴에 흰 수염이 났으면 사람이 좀 더 진중한 맛이 있어야 하지 않겠소? 160

폴스타프 진중한 맛은 없어도 육즙은 있습죠. 육즙 말입니다, 육즙.[13]

---

10. 맹인을 이끄는 개처럼 왕자가 제대로 걷지 못하는 자신을 끄는 개라고 비유하는 표현이다. 결국 잘못 인도한 책임을 왕자에게 넘기는 언술이다.
11. 여우 냄새를 맡는다는 것은 의심을 한다는 뜻이다. 폴스타프는 대법원장이 자신의 뒤를 캐고 다니는 것을 비꼬면서 반격하고 있다.
12. 양심이나 도덕같이 좋은 면은 다 타버리고 악한 면만 남았음을 뜻한다.

대법원장 그대는 나쁜 천사처럼 젊은 왕자 꽁무니를 따라다니고 있소.

폴스타프 그렇지 않습니다, 나리. 나쁜 천사는 가볍지만 저는 무게를 재지 않고 딱 봐도 그렇지는 않습니다. 하오나 어떤 면에서는 제 말이 통하지 않을 거라는 걸 저도 인정합니다. 저도 잘 모르겠으나 이렇게 물질주의적인 시대에는 미덕이란 별로 인정을 받지 못하니 진정 용기 있는 사람들이 기껏해야 곰 길들이는 자가 되고, 지적 능력을 가진 자가 급사가 되어 그 잘 돌아가는 머리를 술값 계산이나 하는 데 쓰고 있습니다. 그 외 인간이 가진 모든 다른 재능들도 이 시대의 병폐로 인해 별 볼 일 없는 것이 돼버립니다. 나리처럼 나이 드신 분들은 우리 젊은 사람들의 능력은 고려하지 않고 우리의 열정을 그저 시샘의 눈길로 보시니 젊은이의 선두에 있는 저희는 고백하건대 꼬랑지이기도 한 것입니다.

165

170

175

대법원장 그대는 그대의 이름을 젊은이의 목록에 넣고 있는가? 온통 늙은이의 특징들로 가득한데? 눈은 축축하고, 손은 메마르고 볼은 누렇고, 흰 수염에, 다리는 오그라들고, 배는 빵빵하지 않은가? 목소리는 갈라지고 숨은 차고 턱은 두 턱이요, 지혜는 부족하고 신체 부위마다 나이가 들어 시들지 않았냐 말이오? 그런데도 자신을 젊은이라고? 제발 그만두시오! 제발! 존 경!

180

185

폴스타프 나리, 저는 오후 3시 경에 태어났는데 날 때부터 흰 수염이 나고 배는 불룩했습니다. 제 목소리는 전쟁터에서 고함을 치고 찬송가를 불러서 이렇게 갈라진 것입니다. 이 이상 제 젊음을 증명

---

13. 대법원장이 진중함이라는 뜻의 gravity를 쓰자 유사한 육즙(gravy)이라는 단어로 말꼬리 잡기를 하고 있다.

하려 들지 않겠습니다. 사실 저는 판단력과 이해력에 있어서만 190
나이가 들었습니다. 천 마르크를 걸고 나와 춤 겨루기를 하고자
하는 자가 있으면 그 돈을 먼저 내놓고 한번 해보라 하십시오. 왕
자님이 나리의 따귀를 때린 것은 무례한 행동이었는데 나리는 아
주 현명하게 대처하셨습니다. 저는 그 문제로 왕자님을 질책하였 195
고 어린 사자는 뉘우치고 계십니다. (방백) 웬걸, 잿빛 참회의 옷을
입고서가 아니라 새 비단 옷을 입고 묵은 술통을 들고서였지.

대법원장 아무튼 하나님, 왕자님에게 좀 더 괜찮은 친구를 보내주소서!

폴스타프 하나님, 저희 친구들에게 좀 더 괜찮은 왕자님을 보내주소서! 200
제가 그분에게서 손을 뗄 수가 없습니다.

대법원장 어쨌든 폐하께서 그대를 해리 왕자님으로부터 떼어 놓았소. 그
대가 랑카스터의 존 공과 함께 대주교와 노섬벌랜드 백작을 치러
간다 들었소. 205

폴스타프 그렇습니다. 그런 멋진 기지에 감사할 따름입니다. 그러나 부
디 집에서 평화를 누리시는 모든 분들이 우리 병사들이 무더운
날 전투하지 않도록 기도나 해주십시오. 저는 셔츠를 단 두 벌만
가져가기 때문에 땀을 많이 흘리면 안 되거든요. 날씨가 무더워 210
술병만 휘두르면 저는 다시는 흰 침을 뱉지 못할지도 모릅니다.
나라에 위험한 일이 벌어지기만 하면 저를 불러댄단 말입니다.
어쨌든 소인도 영원할 순 없습니다. 하지만 괜찮은 게 있으면 그
걸 너무 하찮은 것으로 여기는 것이 여전히 잉글랜드의 특징입니 215
다. 나리께서 저를 노인이라고 불러야 한다면 절 쉬게 해주셔야
죠. 하나님, 제 이름이 적에게 실제처럼 그렇게 무섭게 여겨지지

220 않기를 바랍니다. 저는 계속 움직여서 닳아 없어지기보다는 녹이 슬어 죽게 되기를 바랍니다.

대법원장 정직해지시오. 좀 정직해지라고. 그럼 하나님이 그대에게 무운을 내리실 거요.

225 **폴스타프** 나리, 출정 준비를 하게 천 파운드만 빌려주시겠습니까?

대법원장 한 푼도 안 되오. 단 한 푼도. 그대는 너무 참을성이 없어 탈이란 말이오. 잘 가시오. 내 사촌 웨스트멀랜드에게 안부나 전해주시오.

[대법원장과 하인 퇴장]

폴스타프 내가 안부를 전하면 개다. 젊은이에게서 색욕을 떼어낼 수 없듯이 노인에게서 탐욕을 떼어낼 수 없는 법. 한쪽은 통풍이 괴롭히고 다른 쪽은 매독이 괴롭히니 어느 쪽이 나쁘다 하지 못하겠구나. 얘야! (230)

시동 네, 나리?

235 **폴스타프** 내 지갑에 얼마나 들었느냐?

시동 30펜스요.

폴스타프 그놈의 지갑의 소비는 고칠 방도가 없구나. 돈을 빌리는 것으로는 질질 끌기만 할 뿐 도무지 나아지지가 않으니. 이 편지는 랑카스터 공에게, 이 편지는 왕자님께, 이 편지는 웨스트멀랜드 백작에게, 그리고 이것은 어슐라 부인[14]에게 갖다 주거라. 내 턱에 흰 수염이 나면서부터 매주 그 여자에게 결혼하마 맹세해왔지. 어서 시킨 대로 해라. 어디서 날 만날지는 알고 있지? [시종 퇴장] (240)

14. 2막 1장에서 보면 퀵클리 부인에게 결혼을 약속하는 장면이 나온다. 같은 인물인지는 확인할 수가 없다.

이 염병할 통풍! 아니면 이 염병할 매독! 어느 쪽이든 둘 중 하나 245
가 내 엄지발가락을 못살게 구는구나. 절름발이가 되는 것은 상
관없어. 그 원인을 전쟁 탓으로 돌리면 되니까. 그러면 연금을 받
는 게 더 합당해 보일 테지. 기지가 있으면 뭐든 잘 이용할 수 있
다니까. 병을 팔아 이득을 봐야지. [퇴장] 250

3장

요크, 대주교의 저택

요크 대주교, 문장원 총재 토마스 모우브레이, 헤이스팅즈 경, 바돌프 경 등장

대주교 지금까지 우리의 대의명분과 군사력에 대해 설명했소.
나의 친애하는 동지 여러분, 부디
솔직하게 우리의 가능성에 대해 의견들을 말씀해주시오.
먼저 문장원 총재께서는 어찌 생각하시오?
5 **모우브레이** 우리가 거병한 대의명분은 잘 알겠으나
우리의 군사력이 왕의 막강한 세력과
대담하고 당당하게 맞서
진격할 수 있을 정도인지는
더 설명해주셨으면 합니다.
10 **헤이스팅즈** 현재 우리가 소집한 병사는
정예군으로 이만오천 명에 이릅니다.
그리고 노섬벌랜드 백작의 지원 병력이
꽤 많을 것입니다. 그분의 가슴은 아들을 잃은 상처로
부글부글 끓어오르고 있습니다.
15 **바돌프 경** 그렇다면 헤이스팅즈 경, 문제는
과연 현재 우리의 이만오천 명의 병사만으로
노섬벌랜드 백작의 도움 없이 맞설 수 있느냐인 것 같습니다.

헤이스팅즈 그분의 도움이 있으면 가능합니다.

바돌프 경 그렇지요, 그게 바로 문제입니다.

만약 그분의 도움 없이는 우리가 너무 약하다고 여겨진다면

그분의 지원이 확보될 때까지 20

앞서가서는 안 된다고 생각합니다.

왜냐하면 이런 유혈적인 문제에 있어서는

확실하지 않은 원군에 대한 추측과 예상을

용납해서는 안 되기 때문입니다.

대주교 아주 지당한 말씀이오. 바돌프 경, 25

젊은 핫스퍼 군이 슈르스베리에서 당한 게 바로 그런 상황이었소.

바돌프 경 그렇습니다. 주교님. 그자는 희망에 잔뜩 부풀어

원군이 오리라는 허황된 약속을 믿고

자기가 생각할 수 있는 최소한의 병력보다도 더 적은

병력에 대한 기대에 속아 30

그렇게 미친 자에게나 어울릴만한

허황된 상상력으로 자기 군대를 사지로 끌고 가

진실에 눈을 감은 채 파멸로 뛰어들었습니다.

헤이스팅즈 하지만, 실례하오만 가능성을 그려보는 것이

해가 되지만은 않았습니다. 35

바돌프 경 그렇지 않습니다. 이번 전쟁의 성격은—

사실 전투가 임박하고, 이미 군사작전은 시작된 바—

마치 이른 봄에 돋아나는 싹을 보고

이것들이 열매를 맺으리라 생각하듯이

희망에 의존하다 보면, 서리가 내려 그것들을 죽일 수도 있다는 40

절망보다 희망을 더 보장해주지 않습니다. 집을 지으려 해도
우선 대지를 조사하고, 설계도를 그리고
설계도상의 집 모양을 보고 나서
건축비를 산정해야만 합니다.
45 만약 건축비가 자기 능력보다 과할 경우
방을 줄여 새 설계도를 짜든가
아님 아예 짓는 걸 포기하든가 하는 외에 무슨 도리가
있겠습니까? 이 전쟁과 같은 대업에서는 더욱더 그렇죠.
거의 한 왕국을 무너뜨리고 새 왕국을
50 세우는 것과 같은데 — 상황이라는
대지와 설계도를 면밀히 조사하고
토대가 확실한지 동의를 구하고
측량사에게 물어보고, 그런 일을 감당할 능력이 있는지
우리의 재력도 알아보고
55 반대 상황도 고려해보아야 합니다. 그렇지 않으면
진짜 사람 대신 종이 위에 사람의 이름과 숫자만 써서
전력을 증강하는 셈이 됩니다.
이는 마치 자기가 지을 능력도 되지 않는
집을 설계하여, 절반만 짓다가
60 포기하여 일부 투자비만 날린 채
뼈대가 드러난 집을 비바람에 내맡기고
엄동설한의 추위에 마모시키는 것과 같습니다.

헤이스팅즈 우리의 기대가 아직은 순산일 듯 보이지만
설사 사산하여 현재 우리의 병력이

기대할 수 있는 전부라 하더라도 65
전 지금 이 상태로도 왕과 대적하기에
충분한 병력이라 생각합니다.

바돌프 경 아니, 왕의 병력이 이만오천밖에 안 된단 말이오?

헤이스팅즈 우리와 대적하는 병력은 그 정도뿐. 아니 그보다 적을 수도
있습니다. 바돌프 경, 나라가 어수선하여 70
왕의 병력은 삼등분되어 한 병력은 프랑스와,
또 한 병력은 글렌다우어와, 그리고 나머지 한 병력이
우리와 대적하고 있습니다. 그렇게 불안정한 왕의 병력은
삼등분이 되었고 그의 국고는 텅 비어
요란한 소리를 내고 있습니다. 75

대주교 왕이 여러 병력을 모아
전력을 다해서 우릴 공격하리라고 걱정할
필요는 없을 것이오.

헤이스팅즈 만약 그리한다면
배후가 무방비 상태가 되어, 프랑스나 웨일즈가
추격해올 테니, 그 점은 조금도 걱정할 필요가 없습니다. 80

바돌프 경 누가 군대를 이끌고 올까요?

헤이스팅즈 랑카스터 공과 웨스트멀랜드 백작입니다.
웨일즈는 왕과 해리 몬머스가 맡고 있고
프랑스는 누구에게 맡겼는지
잘 모르겠습니다.

대주교 나가서 85
우리가 거병한 이유를 알립시다.

민중들은 자신들이 선택한 왕에 싫증을 느끼고 있소.
너무 사랑하다가 이제 물린 것이오.
저속한 민중들의 가슴에 지은 집은
90 흔들리고 불안한 법이오.
오, 어리석은 대중들이여, 그대들은 볼링브로크를 위한
기도로 하느님을 얼마나 괴롭혔던가.
그가 그대들이 원하는 사람이 되기 전까지는.
이제 그대들이 원하는 복장으로 꾸미고 나니
95 짐승같이 먹어대는 그대들은 그를 너무 실컷 맛보아서
이제 그를 토해내려 하는구나.
그대 개 같은 인간들은 게걸스러운 그 가슴에서
리처드 왕도 그렇게 토해냈지.
이제 그대들은 자신들이 토해낸 것을 다시 먹고 싶어
100 그걸 찾아 울부짖는구나. 요즘 같은 시대에 믿을 게 어디 있나?
리처드 왕이 살아 계실 땐 그가 죽기를 바라던 자들이
이제 그의 무덤조차 사랑한다.
왕께서 민중들로 찬미를 받은 볼링브로크의 뒤를 따라
한숨을 쉬면서 오만한 런던을 지나가실 때
105 그의 존엄한 머리에 흙을 던졌던 그대들이
이제 '오 땅이여, 선왕을 다시 돌려다오, 그리고 현왕을
데려가 다오.'라고 외치는구나. 오 저주받을 인간의 생각이여!
과거와 미래는 좋게만 보이고 현재는 최악으로 보이는구나.

모우브레이 가서 군대를 집결시켜 떠나실까요?

110 **헤이스팅즈** 우리는 시간의 노예, 시간이 출정하라 명령하는구려. [일동 퇴장]

2막

1장

이스트칩, 보어즈 헤드 술집 근처

술집 주인인 퀵클리 부인, 순사 팽, 순사 스네어가 들어온다.

주모 팽 순사 나리, 기소하셨어요?

팽 기소했소.

주모 조수는 어디 갔어요? 그 양반 센가요? 일을 감당할 수 있겠어요?

5 **팽** 이놈, 스네어 어디 있느냐?

주모 아 나리, 스네어 나리 안녕하세요?

스네어 여기 대령했습니다.

팽 스네어, 기사 존 폴스타프를 체포해야 하네.

10 **주모** 맞아요, 스네어 나리. 제가 그자 일당을 몽땅 고발했어요.

스네어 그자가 찔러서 우리 중 목숨을 잃을 수도 있어요.

주모 저런, 그자를 조심하세요—그 인간은 우리 집에서 정말 짐승처럼

15 절 찔렀어요. 무기만 뽑았다 하면 무슨 짓을 할지 몰라요. 남자고, 여자고, 아이고 상관없이 악마처럼 찔러댈 거예요.[15]

팽 그자 가까이만 갈 수 있으면 찌르는 거 따위 무섭지 않다.

주모 저도 그래요. 제가 옆에 바싹 붙어 있을게요.

20 **팽** 그자에게 주먹을 한번 날리고, 그자가 내 사정거리 안에만 들어 오면, —

---

15. 이 주모의 대사는 이중 의미를 갖고 있다. 이 문장은 성적인 의미로도 해석이 가능하다.

주모 그 인간이 출정해버리면 난 망해요. 정말이지 장부에 적힌 외상값이 끝도 없다고요. 팽 나리 꼭 붙들어주세요. 스네어 나리 절대 도망가지 못하게 해주세요. 그자는 파이 코너[16]에 자주 가요. 이렇게 말하면 좀 그렇지만, 올라탈 안장을 사러 말예요.[17] 럼버트가에 있는 장식품 가게와 비단장수 가게에 저녁초대를 받아 가기도 해요. 내가 고발했고, 그것이 세상에 다 알려졌으니 반드시 잡아다 대답을 받아주세요. 백 마르크는 혼자 사는 가난한 여자가 감당하기 힘든 금액이에요. 그래도 난 참고 또 참았고 차일피일 미루는 데 속고 또 속았어요. 생각하기도 창피한 일이지만. 여자를 온갖 못된 놈들의 못된 짓을 참는 바보 천치나 짐승 취급하는 게 아니라면 그런 짓거리에 양심이란 눈곱만큼도 없는 거예요. 25 30 35

폴스타프, 시동, 바돌프 등장

저기 그 인간이 오네요. 빨간 코 악당 바돌프와 같이요. 어서 공무를 집행하세요. 어서요. 팽 나리, 스네어 나리. 공무를 집행하시라고요. 어서. 40

폴스타프 뭐야, 뉘 집 암말이 죽었나? 무슨 일이야?

팽 존 경, 퀵클리 부인의 고발로 당신을 체포하겠소.

폴스타프 꺼져, 이 종놈들아! 바돌프, 칼을 뽑아라! 저 악당의 머리를 45

16. 파이 코너는 음식 판매대들이 많기로 유명한 곳으로 런던 소(牛)시장 안에 위치하고 있어 마구(馬具) 판매인들도 있다.

17. 이 문장도 이중 의미를 담고 있다. '안장을 사러 간다'는 것은 '올라탈 창녀를 사러 간다'는 성적 의미도 담고 있다.

베어라! 저 창녀는 시궁창에 처넣어라!

주모 뭐 날 시궁창에 처넣으라고! 네 놈을 시궁창에 처넣겠다. 뭐가 어쩌고 어째, 이 사생아 놈아? 살인이다! 살인! 아 이 살인마 같
50 은 놈아. 그래 하느님의 관리이자 왕의 관리인 자들을 죽이려고 하냐? 이 살인을 일삼는 악당 놈아. 이 살인자야. 남자도 죽이고, 여자도 죽이는 놈아.

폴스타프 저것들을 쫓아버려, 바돌프!

팽 사람 살려! 사람 살려!

55 **주모** 여러분, 구원병을 좀 데려오세요. 해보겠다고, 그래 해보겠다 이 거지? 어디 해봐, 해보라고 이 악당아! 해봐 이 살인마야!

시동 꺼져, 이 부엌데기야! 이 악당아! 이 뚱뚱보 여편네야! 엉덩이를 간지럽히기 전에.

대법원장과 부하들 등장

60 **대법원장** 무슨 일들이냐? 다들 조용히 해!

주모 나리, 저 좀 도와주세요. 제발 제 편 좀 들어주세요.

대법원장 무슨 일이오, 존 경? 웬 소란이오? 지금 이 상황이 그대의 지위나, 시국이나, 맡은 바 임무와 어울리오? 그댄 지금 요크로 향
65 하고 있어야 하잖소. 물러서라, 그대는 왜 그자를 잡고 있느냐?

주모 오 존경하는 나리, 황공하오나 저는 이스트 칩[18]의 가난한 과부인데 저자는 제가 고발하여 체포되었습니다.

---

18. 이곳은 런던에서 음식점이나 푸줏간이 많이 모여 있는 구역으로 유곽도 많았을 것으로 예상된다.

대법원장 받을 게 얼마나 되느냐? 70

주모 얼마 정도가 아닙니다, 나리. 제가 가진 전 재산입니다. 저 인간은 제 집도 다 먹어치우고, 내가 가진 걸 다 저 비곗덩어리 뱃속에 처넣었습니다. 그중 얼마라도 되돌려 받아야겠습니다. 안 그러면 밤마다 암말처럼 네 놈 위에 올라탈 거야. 75

폴스타프 말에 올라타기 좋은 땅만 있으면 내가 암말을 올라타겠다.

대법원장 이게 어찌된 일이오, 존 경? 세상에! 점잖은 사람이라면 누가 이런 심한 비난을 참을 수 있겠소? 불쌍한 과부가 스스로 저런 80 험악한 짓을 하도록 만들다니 부끄럽지도 않소?

폴스타프 내가 자네에게 빚진 게 총 얼마나 되냐?

주모 어머, 당신이 정직한 사람이라면 당신 몸뚱이도 돈도 다 내 거야. 왜 성령 강림절 수요일에 내 돌고래 실의 석탄화로 옆 원탁 식탁 85 에 앉아 금도금한 술잔에 걸고 맹세했잖아. 그때 아마 당신이 왕자님 아버지를 윈저에서 온 가수랑 비슷하다고 했다고 왕자님이 당신 머리를 때렸었지. 그때 내가 그 상처를 닦아줄 때 맹세했잖아. 나랑 결혼해서 날 귀부인으로 만들어주겠다고. 부정하지는 90 못할걸? 그때 푸줏간 집 마누라 키치가 참새우 한 접시가 어디서 생겼다면서 식초 좀 빌려달라고 와서는 날 수다쟁이 퀵클리라고 불렀잖아? 그래서 당신이 좀 얻어먹고 싶다고 해서 내가 당신에 95 게 참새우는 상처 난 데 좋지 않다고 말했잖아. 그래서 그 여편네가 아래층으로 내려간 뒤 곧 그들이 나를 부인이라고 부를 거라면서 더 이상 저런 하찮은 사람들하고 친하게 지내지 않았으면 좋겠다고 말했잖아. 그리고 나에게 키스를 하며 30실링을 갖다 100

달라고 했잖아? 이제 성서에 걸고 맹세시킬 테니 부인할 수 있으면 어디 해보시지.

폴스타프 나리, 이 여자는 불쌍하게도 정신이 나가, 자신의 장남이 나리를 닮았다고 마을을 돌아다니며 떠듭니다. 예전에는 잘 살았는데 가난해져 정신이 나간 것입니다. 이 멍청한 경관들은 제 명예회복을 위해 부디 처벌해주시기 바랍니다.

105

대법원장 존 경, 난 그대가 진실을 거짓된 방식으로 비트는 데 능하다는 걸 익히 알고 있소. 아무리 진솔한 표정으로 그대의 뻔뻔함에서 나오는 말을 쏟아놓는다 해도 나는 공정하게 판단할 것이오. 내가 보기에 그대는 이 여자의 약한 마음을 이용하여 돈주머니도, 몸뚱이도 다 바치게 한 것 같군.

110

115

주모 맞습니다. 나리.

대법원장 가만히 계시오. 이 여자에게 진 빚을 갚고, 그동안 했던 못된 짓도 다 갚으시오. 부채는 돈으로 갚고 악행에 대해서는 지금 당장 용서를 비시오.

120

폴스타프 나리 이런 질책에 대해서는 답변을 하지 않을 수 없습니다. 나리께서는 정직함에서 나오는 당당함을 뻔뻔한 무례라 하십니다. 사람이 머리를 조아리고 말을 안 하면 유덕하다 합니다. 그러나, 나리, 저의 책무를 상기하여 저는 나리의 호의를 구걸하지 않을 것입니다. 급히 국왕 폐하의 어명을 수행해야 하니 어서 이자들에게서 저를 풀어주시기 바랍니다.

125

대법원장 그대는 못된 짓을 할 자격이라도 있는 양 말하는군. 하지만 그대의 명성에 어울리게 이 불쌍한 여자의 요구를 들어주시오.

130

폴스타프 이리 와요, 주모. [주모를 한쪽으로 데려간다.]

사자(使者) 가우어 등장

대법원장 가우어 양반, 무슨 일이오?

가우어 나리, 국왕 폐하와 해리 왕자님께서 곧 이리 당도하십니다. 나머지는 이 서신에 쓰여 있습니다. [편지를 준다.]

폴스타프 난 신사잖아. 135

주모 전에도 분명 그렇게 말씀하셨죠.

폴스타프 글쎄 난 신사라니깐! 자, 그 얘긴 그만하자고.

주모 내가 지금 딛고 서 있는 이 거룩한 대지를 두고 맹세컨대 그러려면 주방의 식기며 벽걸이까지 저당 잡혀야 해요. 140

폴스타프 술 마시는 데는 유리잔, 그것만 있으면 되고 벽에는 웃기는 그림이나 탕아 그림, 아니면 독일인들의 사냥 장면을 그린 수채화가 침대 휘장이나 파리똥 묻은 벽걸이보다 천 배는 낫다. 할 수 있으면 10파운드 구해주게. 자, 자네는 그 성질머리만 아니면 145 영국에서 제일 괜찮은 여자라니까. 가서 얼굴 닦고 소송을 취하하게. 자네가 나한테 그런 성질을 부려서야 되나? 날 몰라서 그래? 자, 자, 난 자네가 어떤 놈의 사주를 받아서 그런 거라는 거다 알아. 150

주모 존 나리, 6파운드만 하면 안 될까요? 사실 식기를 저당 잡히기는 싫거든요. 제발 그렇게 해주세요, 네?

폴스타프 알았어, 그건 딴 데서 알아보지. 여전히 바보짓을 하는군. 155

주모 좋아요, 내 옷을 잡혀서라도 해드릴게요. 저녁 드시러 오세요. 돈은 모두 한꺼번에 갚으실 거죠?

폴스타프 안 그러면 목숨이 남아나겠어? [바돌프에게] 저 여자랑 같이 가게!

160 바싹 따라가, 바싹!

주모 저녁에 돌 티어쉬트 부를까요?

폴스타프 두말하면 잔소리지. 불러야 하고말고.

[주모, 팽, 스네어, 바돌프, 시동 퇴장]

대법원장 더 좋은 소식을 들었소.

폴스타프 무슨 소식인데요, 나리?

165 **대법원장** 폐하는 오늘밤 어디서 머무셨나?

가우어 베이싱스토크에 머무셨습니다, 나리.

폴스타프 나리, 모든 게 잘 되길 바랍니다. 근데 소식이 뭡니까, 나리?

대법원장 폐하의 군대가 모두 돌아오는가?

가우어 아닙니다. 보병 천오백 명과 기병 오백 명이 노섬벌랜드와 대주

170 교를 치러 랑카스터 공의 휘하로 진군 중입니다.

폴스타프 폐하께서는 웨일즈에서 돌아오십니까, 나리?

대법원장 당장 회답을 써주겠소. 자, 나와 함께 갑시다. 가우어 양반.

175 **폴스타프** 나리!

대법원장 무슨 일이오?

폴스타프 가우어 나리, 오늘 저녁 좀 대접하고 싶은데요?

180 **가우어** 난 이 나리를 모셔야 합니다. 고맙소, 존 경.

대법원장 존 경. 그대는 여기서 너무 오래 어슬렁거렸소. 지방을 돌며

모병을 해야 하는데 말이오.

폴스타프 저랑 저녁식사 같이 하시죠, 가우어 나리.

대법원장 도대체 어떤 바보에게서 그런 매너를 배웠소, 존 경? 185

폴스타프 가우어 나리, 만약에 매너가 저랑 어울리지 않는다면 내게 그것들을 가르친 자는 바보겠죠. 이게 검술의 묘미라는 거죠. 찌르기에 찌르기 공격.[19] 자 이제 공평하게 헤어집시다.

대법원장 하나님이 너무 어리석은 그대를 계몽해주시길. [일동 퇴장] 190

---

19. 폴스타프는 계속 자기의 말을 무시하는 대법원장의 질문에 가우어에게 대답함으로써 똑같은 수법으로 반격을 한 것이다. 결국 이런 매너를 가르친 자는 대법원장이 된다.

2장

런던, 왕자의 저택의 한 방

헨리 왕자와 포인즈 등장

왕자 정말 너무 피곤하구나.

포인즈 그렇게 피곤하십니까? 전 높으신 분들께서는 피곤 따위 안 느끼시는 줄 알았습니다.

왕자 정말 피곤해. 그걸 인정하는 것이 나의 지위에 먹칠을 하겠지만. 싸구려 맥주를 좀 마시고 싶다고 하면 비천해 보이지 않으려나? 5

포인즈 아니 왕자님이 그런 하찮은 합성물을 기억할 정도로 학습이 느슨해서야 되나요?

왕자 그럼 난 식욕만큼은 왕자답게 태어나지 않았나보지. 정말 그 하찮은 싸구려 맥주가 지금 간절하거든. 그런데 사실 이런 사소한 10 것들을 생각하면 내가 왕자로 태어난 게 맘에 안 들어. 자네 이름을 기억하는 게 내게 얼마나 수치스러운 일인가! 아님 내일도 자네 얼굴을 아는 것도! 아님 자네가 비단 양말을 몇 짝이나 가졌나를 아는 것도! 즉 자네의 분홍색 양말 같은 이런 저런 것들! 15 또는 자네의 셔츠 목록을 이건 여분, 이건 평소에 입는 거 하고 외우고 있는 것! 하지만 그건 테니스코트 관리인이 나보다 더 잘 알겠지. 자네가 테니스를 치지 않을 때는 갈아입을 옷이 없을 20

때일 테니.[20] 자넨 아래 나라들[21]에 탕진해서 셔츠 만들 아마포를 살 돈이 없어 오랫동안 테니스를 치지 않았지. 자네 낡은 셔츠의 누더기 안에서 고래고래 우는 아가들이 신의 왕국을 계승할지는 하나님만이 아실 테지만[22] 산파들은 아이들에게는 잘못이 없다고 하지. 그런 아이들로 세상 인구가 늘어나고 가족의 유대관계가 강화되는 거고. 25

포인즈 결론이 그게 뭡니까, 그렇게 열심히 기지를 발휘하여 그렇게 실없는 소릴 하시다니. 말씀해보세요. 국왕 폐하처럼 아버지가 그렇게 편찮으실 때 훌륭한 젊은 왕자 중에 왕자님처럼 행동하는 자가 몇이나 될지. 30

왕자 내가 한 가지 말해주랴, 포인즈?

포인즈 네, 근데 좀 좋은 말씀을 해주세요.

왕자 자네 같은 교육 수준에 어울릴만한 얘기를 해주마. 35

포인즈 됐어요. 저도 왕자님이 하실 얘기 정도에 꿀리지 않아요.

왕자 좋아, 얘기하마. 아바마마가 아프다고 내가 슬퍼해야 한다는 것은 옳지 않아. 친구라고 부를만한 더 마땅한 자가 없어 자네를 친구라고 생각하니 내 자네에게만 말할 수 있는 것이지만, 난 슬픈 척할 수 있어, 아니 사실 너무 슬퍼. 40

포인즈 그건 절대 그럴 거 같지 않은데요.

왕자 정말 자네는 내가 구제불능으로 자네나 폴스타프처럼 악의 가르

---

20. 당시 테니스는 궁정 조신들이 주로 쳤는데 그들은 땀이 날 때마다 셔츠를 갈아입었다. 당시 테니스가 유행하여 런던에는 테니스 코트가 많이 있었다.

21. 신체의 아랫부분을 뜻한다.

22. 포인즈가 낳은 사생아들이 천국에 갈 수 있을지는 하나님만이 아신다는 뜻.

45 침에 깊이 빠졌다고 생각하는군. 결론은 두고 볼 일. 하지만 난 아바마마가 편찮으셔서 속으로 피눈물을 흘리고 있네. 그리고 자네 같은 못된 것들과 어울리는 것이 내가 슬픔을 표현하지 못하는 이유란 말일세.

포인즈 왜요?

50 **왕자** 내가 슬퍼 눈물을 흘리면 자넨 어찌 생각하겠는가?

포인즈 아주 왕자다운 위선자라고 생각하겠죠.

왕자 모두가 그리 생각할걸세. 자넨 누구나 생각하는 것처럼 생각하는 점이 가상해. 세상에 그 어떤 사람도 자네보다 더 보편적으로 생

55 각하지는 않지. 사실 모두가 다 나를 위선자라고 생각할걸세. 근데 그대가 그렇게 생각하게 만든 이유가 무엇이오?

포인즈 그건 왕자님이 너무 음란하시고, 폴스타프와 너무 가까이 지내시니 그렇죠.

60 **왕자** 그리고 네 놈하고도.

포인즈 맹세코 저는 평판이 좋습니다. 내 귀로 직접 듣고 있는데요. 저에 대해 가장 나쁜 소문은 내가 둘째라는 것하고 싸움을 좀 잘한다는 것이죠. 근데 이 두 가지는 저도 어쩔 수 없는 것 아닙니까.

65 저기 바돌프가 옵니다.

바돌프와 시동 등장

왕자 내가 폴스타프에게 준 저 꼬마는 내가 줄 때는 기독교도였는데, 그 뚱뚱보가 원숭이[23]를 만들어 놓은 게 아닌가 모르겠네.

바돌프 왕자님께 신의 가호가 있기를!

왕자 그대 고귀하신 바돌프 님께도 신의 가호가 있기를! 70

포인즈 [바돌프에게] 이봐, 이 바보 같은 도덕군자야. 수줍음 타는 멍청아, 꼭 그리 얼굴을 붉혀야만 하냐? 지금 왜 얼굴을 붉히냐? 무슨 병사가 그리 계집애 같냐? 그까짓 술 한 잔 마셨다고 그렇게 얼굴이 빨개지냐? 75

시동 방금도, 나리, 이분이 빨간 격자문으로 얼굴을 내밀고 저를 불렀는데 얼굴과 문을 구분할 수가 없더라고요. 이분의 눈을 보고야 알아보았는데 마치 주모의 빨간 새 페티코트에 난 두 개의 구멍이 내다보는 것 같더라고요. 80

왕자 저 꼬마가 벌써 폴스타프에게 한 수 배운 게 아니냐?

바돌프 꺼져 이 코딱지만 한 놈아, 꺼져!

시동 너나 꺼져. 알타이아의 꿈에 나올 악당 같으니, 꺼지라고.

왕자 야 알타이아의 꿈이 뭔지 좀 가르쳐줘라. 꼬마야.

시동 네, 나리. 알타이아가 꿈에 횃불을 낳거든요.[24] 그래서 저 사람을 그녀의 꿈에나 나온다고 한 거예요. 85

왕자 1크라운[25]은 받을만한 해석이군! 옜다, 꼬마야.

---

23. 시동이 폴스타프의 언행을 따라하는 걸 걱정하는 말이다.

24. 실제로 이 꿈은 헤카베가 파리스를 임신했을 때 꾼 태몽인데 시동이 잘못 말한 것이다. 알타이아는 칼리돈의 여왕이자 멜레아그로스의 어머니인데 아들 멜레아그로스가 태어났을 때 운명의 실을 짜는 모이라이 여신들이 난로 안의 장작이 다 타버리는 순간 아이가 죽을 것이라고 예언하는 것을 엿듣는다. 나중에 멜레아그로스가 칼리돈의 멧돼지 사냥에서 멧돼지를 물리친 뒤 그 공을 사랑하는 아탈란테에게 돌려 승리의 전리품을 그녀에게 주자고 제안하나 형제와 외삼촌이 이에 반대한다. 그는 홧김에 그들을 살해하고 알타이아는 그런 아들에 대한 복수심에 불타 나무토막을 난롯불에 던져 아들을 죽이고 스스로 목숨을 끊는다.

포인즈 오, 부디 이 아름다운 꽃봉오리에 벌레가 먹지 않기를! 자, 이
90 6펜스[26] 동전을 지니고 다니면 널 보호할 수 있을 것이다.

바돌프 두 분이 이 녀석을 교수형 시키지 않는다면 교수대가 제 구실을 못하고 있는 겁니다.

왕자 그런데 자네 두목은 어떤가, 바돌프?

바돌프 왕자님, 왕자님이 런던으로 오고 계시다는 말을 듣고 이 서신을
95 보내셨습니다.

포인즈 예의 바르게 웬 서신까지. 그래 자네 주인인 그 노인장은 어떠신가?

바돌프 몸은 건강하십니다, 나리.

포인즈 그래, 의사가 필요한 건 바로 그 영혼인데 어디 꿈쩍이나 해야지.
100 영혼이 아프다고 해서 죽는 게 아니니.

왕자 내가 그자를 내 개처럼 가까이 대해줬더니 자기 지위를 보란 듯이 내세우는군. 이 쓴 것 좀 보게나. [읽는다.] '기사 존 폴스타프로부터'

포인즈 자기 이름을 거명할 때마다 모든 사람에게 그걸 알리려 한다니
105 까요. 마치 왕의 친척들이 하는 것처럼요. 그자들은 손가락이라도 바늘에 찔리면 "국왕의 피가 흐르는구나." 하고 말합니다. 그럼 모른 척하고 "어째서요?" 하고 물어봅니다. 그럼 그자들은 돈 빌리러 간 사람이 모자 벗듯이 바로 "제가 국왕 전하와 먼 친척
110 이거든요," 하고 대답합니다.

왕자 그자들은 어떻게 하든 왕족의 친척이 되려 할 걸세. 여차하면 야벳[27]까지 거슬러 올라가 친족관계를 주장할걸. 어쨌든 편지나 읽

---

25. 1크라운은 25펜스이다.

26. 엘리자베스 시대의 6펜스짜리 동전에는 십자가가 새겨져 있었다.

어보자고. —'기사 존 폴스타프가 국왕의 가장 가까운 혈통인 웨일즈 공 해리 왕자님께 문안인사 드립니다.'

포인즈 아니 이건 뭐 법률증서[28]잖아. 115

왕자 가만있어 봐. '저는 명예로운 로마인들이 그랬듯이 간략히 쓰겠습니다.'

포인즈 분명 숨이 차서 짧게 쓴다고 했을 겁니다.

왕자 '저는 왕자님께 저를 추천하고, 왕자님을 찬양하며 떠나렵니다. 포인즈는 전하의 호의를 심히 이용하여 전하가 자기 여동생 넬과 120 결혼을 하도록 만들겠다고 맹세하는 자이니 그자와 너무 가까이 지내지 마십시오. 그리고 한가할 때 회개하시고요. 그럼 이만 작별을 고하겠습니다.

전하의 수용 여부에 따라—다시 말해 전하가 어찌 생각하시느냐에 따라—지인들과 함께 잭 폴스타프 드림, 혹 125 은 형제자매와 함께 존 드림, 아님 온 유럽과 함께 기사 존 드림.

포인즈 전하 저라면 이 편지를 술에 담아 그자에게 먹이겠습니다.

왕자 그럼 그놈이 수많은 식언을 계속할 것 아니냐. 근데 자넨 나를 그 130 렇게 이용한단 말이냐, 네드? 내가 네 동생과 결혼해야 한다고?

포인즈 하나님이 그 애에게 그런 정도의 행운만 내려주시길! 하지만 제가 그런 말을 한 적은 없습니다.

---

27. 흔히 유럽인의 선조로 여겨지는 노아의 셋째 아들.
28. 원래 영어편지는 수신인을 먼저 쓰고 발신인을 뒤에 쓰는 것이 정석이다. 그런데 법률증서에서는 발신인을 먼저 쓰고 수신인을 쓴다.

왕자 그래. 우리가 시간을 이렇게 보내며 바보 놀음이나 하고 있으면
135 지혜의 정령들은 구름 속에 앉아 우릴 비웃을 거다. 네 주인은 지금 런던에 있느냐?

바돌프 그렇습니다, 전하.

왕자 어디서 저녁 식사를 하느냐? 그 늙은 멧돼지가 예의 그 낡은 돼지우리[29]에서 저녁을 먹느냐?

140 **바돌프** 늘 드시던 곳에서 드십니다. 왕자님. 이스트 칩에서요.

왕자 누구와?

시동 늘 같이 어울리던 사람들하고요, 왕자님.

왕자 여자들도 같이 먹나?

145 **시동** 아닙니다. 퀵클리 주모와 돌 티어쉬트 양뿐입니다, 왕자님.

왕자 그건 또 어떤 창부냐?

시동 얌전한 아가씨입니다, 왕자님. 주인 나리의 친척입니다.

왕자 교구의 암소가 마을 황소의 친척인 격이군. 네드, 우리 저녁 식사
150 자리에 그들을 몰래 덮칠까?

포인즈 전 왕자님의 그림자이니 하시는 대로 따르겠습니다.

왕자 이봐, 바돌프, 그리고 꼬마야. 너희 주인에게는 내가 벌써 런던에
155 왔다는 말 꺼내지도 마라. 옜다, 입 다무는 대가다.

바돌프 제게는 혀가 없습니다. 전하.

시동 저도요, 전하. 혀를 꽉 붙들어 두겠습니다.

왕자 그래, 어서들 가봐라. [바돌프와 시동 퇴장] 그 돌 티어쉬트라는 계집도 분명 자유통행로일 게다.

---

29. 보어즈 헤드(Boar's Head)라는 술집 이름은 '멧돼지머리'라는 뜻이다.

포인즈 암요, 세인트 올번즈와 런던 사이의 도로처럼 자유통행로일 겁니다. 160

왕자 어떻게 오늘 밤 들키지 않고 폴스타프가 본색을 드러내는 꼴을 본담?

포인즈 가죽조끼와 앞치마를 두르고 급사 시늉을 하며 그의 테이블 시중을 들죠. 165

왕자 신이 황소로 둔갑하는 것처럼?[30] 참으로 심한 추락이군. 제우스가 그리했지. 왕자에서 급사로? 참으로 천박한 변장이군. 그래도 그 역을 하겠네. 매사 어리석은 목적을 위해서는 어리석은 짓거리가 따르는 법이니. 따라오너라, 네드. [일동 퇴장] 170

30. 제우스가 에우로파를 겁탈하기 위해 황소로 둔갑했었다.

3장

월크월스, 노섬벌랜드 저택 앞

노섬벌랜드, 노섬벌랜드 부인, 퍼시 부인 등장

노섬벌랜드 부디 사랑하는 부인, 그리고 며늘아기야.
험난한 거사를 치르려는 내 길을 편히 해주거라.
난세를 걱정하는 표정을 지어
이 난세처럼 날 괴롭히지 말거라.
5 **노섬벌랜드 부인** 전 포기했습니다. 더 이상 말씀드리지 않겠습니다.
지혜를 길잡이로 삼아 하고 싶은 대로 하십시오.
노섬벌랜드 아, 사랑하는 부인. 내 명예가 지금 위기에 빠져 있소.
출정하는 것만이 내 명예를 회복시켜줄 것이오.
퍼시 부인 그래도 제발, 이번 전투만은 출정하지 마십시오.
10 아버님, 지금보다 더 요긴한 때에도
아버님은 약속을 어기셨습니다.
저의 사랑하는 남편이자 아버님의 아드님이신 해리 퍼시가
아버님이 군대를 이끌고 나타나시는 걸 보려고
수도 없이 북쪽으로 눈길을 주었으나 허사였습니다.
15 그때는 누가 아버님을 집에 머무시라 설득이나 했습니까?
아버님은 아버님의 명예와 아들의 명예, 둘 다를 잃으셨습니다.

아버님의 명예는 하나님이 밝혀주시길!
그분의 명예는 저 회색 하늘에 태양처럼 붙어
그 빛에 따라 영국의 모든 기사들이 용감한 행동을 20
하려고 움직였습니다. 그분은 정녕 고귀한 젊은이들이
그의 모습대로 몸단장을 따라하곤 하던 거울이었습니다.
모두들 그분의 걸음걸이를 흉내 냈고
자연이 부여한 그분의 결점이었던 그 굵고 낮은 목소리는
용기 있는 자들의 말투가 되었습니다. 25
낮은 목소리로 천천히 말할 수 있던 자들이 오히려
그들의 완벽한 목소리를 바꿔
그분의 목소리와 같아 보이려 했습니다. 그렇게
말투, 걸음걸이, 식성, 취향
군대 규율, 다혈질적인 기질까지도 30
그분은 다른 사람들이 따라할 표식이자 거울이요,
지침서였습니다. 그렇게 훌륭하신 분을!
그런 경이로운 분을! 아버님은 버리셨습니다.
누구에게도 뒤지지 않고, 아버님에게도 뒤지지 않을 분이
불리한 여건 속에서 전장을 지키기 위해 35
핫스퍼란 이름 외에 아무 방패도 없이.
그 무시무시한 전쟁의 신을 마주하도록
아버님은 그분을 내팽개쳐 두셨습니다.
제발 부디 그분보다 다른 사람들과의 사이의
명예를 더 존중하시어 그의 망령을 욕되게 40

하지 마십시오. 그들을 그냥 내버려두십시오.
모우브레이 경과 대주교의 병력은 막강합니다.
나의 사랑 해리 님이 그들 병력의 절반만 가졌더라도
전 오늘 핫스퍼의 목에 매달려 핼 왕자의 무덤에 대해
이야기 하고 있을 것입니다.

45 **노섬벌랜드** 너의 그런 심보에 저주가 내려라.
며늘아기야, 넌 한탄스런 옛 과오를 새로이 들춰내어
내 사기를 떨어뜨리는구나.
그래도 난 전쟁터로 가서 위험과 맞닥뜨려야 한다.
아님 더 준비가 안 된 채로 다른 곳에서
위험을 맞이하게 될 것이다.

50 **노섬벌랜드 부인** 아, 스코틀랜드로 피신하십시오.
귀족들과 무장한 민병들이 그들의 병력을
시험해볼 때까지 말입니다.

퍼시 부인 만약 그들이 왕의 병력보다 우세해지면
그때 강철 늑골처럼 합류하여 강한 병력을 더 강하게
55 하십시오. 허나 아버님을 향한 저희의 사랑을 봐서
우선 그들이 스스로의 힘을 시험해보게 하세요. 아버님의 아들도
그러다 죽음을 맞이했고 그래서 저는 과부가 되었습니다.
저는 고귀한 남편을 기념하기 위해 이 두 눈에서
그분을 추모하는 눈물을 뿌려 싹을 틔우고 그것이
60 하늘까지 자라게 하고 싶으나 제 목숨이
그리 길 것 같지는 않습니다.

노섬벌랜드 자, 자 함께 안으로 들어가자. 내 마음은

만조 때의 조수와 같이 정지 상태가 되어

어느 쪽으로도 흐르지 못하는구나.

가서 대주교를 뵙고 싶은 맘은 간절하나 65

수천 가지 이유가 나를 막는구나.

스코틀랜드로 가겠다. 우리 편이 우세한 호기가 되어

나의 동참을 요청할 때까지 그곳에 머물겠다. [일동 퇴장]

4장

런던, 이스트 칩에 있는 보어즈 헤드 술집

프란시스와 또 한 명의 급사 등장

프란시스 자네 도대체 뭘 가져온 건가? 애플존[31] 아닌가? 존 경이 그거 정말 싫어한다는 거 잘 알잖나?

급사 2 정말 그렇긴 하지. 왕자님이 언젠가 접시에 애플존을 담아 그 양반 앞에 놓고는 여기 존 경이 다섯 개 더 있다고 하셨지. 그러고는 모자를 벗고 '전 이만 건조하고, 동그랗고, 늙고, 시든 여섯 기사님들로부터 물러가겠나이다.'라고 말씀하셨지. 그러자 그 양반은 노발대발 했었는데 다 잊으셨어.

프란시스 그럼 식탁보를 깔고 그것들을 올려놓고 스니크 악대가 왔는지 가봐. 티어쉬트 아가씨가 음악을 좀 듣고 싶어 하니.

세 번째 급사 등장

급사 3 어서 서둘러! 그분들이 식사하던 방이 너무 더워서 곧 이리 오실 거야.

프란시스 이봐, 곧 왕자님과 포인즈 님이 오셔서 우리 조끼와 앞치마를 두를 텐데 존 경이 그걸 알아서는 안 되네. 바돌프가 그렇게 전했어.

31. 약 2년 정도 보관했다 먹는 시들고 쭈글쭈글한 사과이다.

급사 3 정말 한바탕 웃긴 소동이 벌어지겠군. 기가 막힌 계획인데. 20

급사 2 난 스니크가 왔는지 보고 올게. [급사 3 퇴장]

주모와 돌 티어쉬트 등장

주모 정말이지, 아가씨 이제 아주 좋아진 것 같네. 맥박도 심장이 바라는 대로 아주 정상적으로 뛰고. 혈색도 정말 장미처럼 발그레한 25 게. 어머나 정말이라니까! 그런데 정말 카나리 산 포도주를 너무 많이 마셨어. 그 술은 아주 독한 와인이라 '이게 왜 이래' 말하기도 전에 혈액 속에 퍼진다니까. 이제 어떠슈?

돌 아까보단 나아요. 흐음! 30

주모 그래, 다행이네. 기분 좋은 게 최고지. 봐요. 저기, 존 경이 오시네.

폴스타프, 노래 부르며 등장

폴스타프 '아서 왕이 처음 조정에 나가'—요강 비워라. [프란시스 퇴장]—'성군이 되셨을 때'—안녕, 돌 양? 35

주모 토할 거 같대요, 글쎄.

폴스타프 저런 여자들은 그렇다니까. 손님이 없어 조용하면 병이 나지.

돌 염병할, 이 더러운 악당 같으니, 그걸 위로라고 하는 거야? 40

폴스타프 넌 날 뚱뚱한 악당으로 만들지[32], 돌 양.

돌 내가? 천만에, 탐식과 성병이 그렇게 만들겠지. 내가 아니라.

폴스타프 요리사 덕에 탐식을 하게 되고, 네 덕에 성병에 걸리잖아, 이

32. 성병이 걸려 부풀어 오른다는 뜻이다.

45 돌 아가씨야. 너한테 걸렸다고, 너한테. 인정하시지. 정숙이 모자란 아가씨야, 인정하라고.

돌 그래, 좋아. 근데 넌? 우리 목걸이 줄도, 보석도 다 가져갔지.

폴스타프 '그대들의 브로치도, 진주도, 보석 장식도 가져오지'—용감하게 봉사하고 나면 절뚝거리고 나오게 되고, 용감하게 창을 구부

50 리고 구멍에서 나오고, 열심히 치료를 받고, 다시 용감하게 장전된 대포 구멍으로 돌진하는 것이지.

돌 목이나 매라. 이 더러운 붕장어[33]야. 목이나 매버려!

55 **주모** 정말, 그대로군. 당신 둘은 어째 만나기만 하면 으르렁거리나. 두 사람은 정말 바짝 마른 토스트처럼 까칠해서 서로 유사한 것[34]을 참지를 못하는군. 원 세상에. 한쪽이 참아야지. [돌에게] 아가씨가

60 참아야지—아가씨가 더 약하잖아. 흔히들 텅 빈 배라고들 하지.

돌 약하고 텅 빈 배가 저렇게 거대하고 꽉 찬 술통을 어떻게 견뎌요? 저자 뱃속엔 상선 하나의 보르도 산 와인이 다 들어 있다고요. 저자보다 더 많이 들어가는 큰 배는 본 적이 없을걸요. 좋아요. 잭,

65 화해하죠. 당신은 이제 전쟁터에 갈 테고 내가 다시 당신을 만나든 못 만나든 아무도 상관 않을 테니 말이에요.

프란시스 다시 등장

프란시스 나리, 피스톨 기수님이 아래 와서 드릴 말씀이 있다는데요.

---

33. 붕장어는 진흙 속에 사는 커다란 바닷장어로 성적인 의미로 쓰인 것이다.
34. 원래 서로의 약점(infirmities)이라고 말하고 싶었으나 실수하여 유사점(confirmities)이라고 잘못 말한 것이다.

돌 잡아먹을, 그 허풍쟁이 악당, 이리 들여보내지 마라. 그치는 영국에서 제일 입이 더러운 자야. 70

주모 그치가 허풍떨고 있으면 못 들어오게 해. 절대 들여보내지 마! 난 이웃사람들과 어울려 살아야 한다고. 허풍쟁이는 안 돼. 난 최고 위층 사이에서 평판이 자자한 사람이야. 허풍쟁이들이 못 들어오도록 문을 잠가라. 허풍쟁이나 받으려고 여태 살아온 거 아니야. 75 어서 문 잠가.

폴스타프 이봐, 마담?

주모 제발, 진정하세요, 존 나리, 허풍쟁이는 안 받아요.

폴스타프 이봐, 피스톨은 내 기수야. 80

주모 존 나리, 그딴 소리 말아요. 나리 기수가 아니라 그 할애비라도 허풍쟁이는 내 집에 못 들어와요. 며칠 전 치안관 대리이신 티시크 나리 앞에 불려갔었는데, 아마 분명 지난 주 수요일쯤 됐을걸요. 그분이 나한테 '이웃사촌 퀵클리' 하고 말씀하셨죠. 그때 덤 85 목사님도 옆에 계셨는데, '이웃사촌 퀵클리, 점잖은 사람만 받게나, 자네에 대한 소문이 좋지 않으니.' 하시지 않겠어요. 이제야 그 이유를 알겠네요. 그분은 또 '자네는 정직한 여자이고 평판도 좋으니 손님을 받더라도 좀 가려 받게. 허풍쟁이들은 받지 말고' 90 라고도 하셨죠. 그러니 안 돼요. 나리도 그분 말을 들었으면 좋았을 텐데. 안 돼요. 허풍쟁이는 안 받는다고요.

폴스타프 피스톨은 허풍쟁이가 아니야, 이 여편네야. 착한 사기꾼이긴 95 해도. 자네가 두드려 패도 강아지처럼 얌전히 맞을 걸세. 그치는 바바리 산 암탉이 거절의 뜻으로 깃털을 뒤로 제쳐도 허풍떨지 않을걸. 그자를 불러 올려라, 급사.

100 **주모** 사기꾼이라고요? 정직한 사람도, 사기꾼도 다 환영하지만 허풍쟁이는 싫어요, 정말. 누가 '허풍쟁이'라고 말만 해도 구역질이 난다고요. 보세요들. 지금 내가 얼마나 떨고 있는지. 보라니까요.

105 **돌** 정말이네.

주모 그렇죠? 정말이라니까. 사시나무 떨 듯 떨잖아요. 그러니 허풍쟁이는 안 된다고요.

기수 피스톨, 바돌프, 시동 등장

피스톨 안녕하세요, 존 경.

110 **폴스타프** 어서 오게, 나의 기수 피스톨! 자, 피스톨, 술 한 잔 받게나. 마시고 술잔은 주모에게 돌리게.

피스톨 두 발의 총탄을 주모에게 쏴주겠습니다,[35] 존 나리.

115 **폴스타프** 여보게, 이 주모는 방탄이라 좀처럼 총에 맞게 하기 쉽지 않을걸.

주모 자자, 난 방탄복도, 총알도 안 마셔요. 난 몸에 좋은 거 아님 안 마셔요. 난 남자들의 노리갯감이 아니거든요.

피스톨 그럼 자네에게 쏠까, 도로시 양! 자네에게 쏴야겠군.

120 **돌** 나한테? 당신같이 천한 자는 딱 싫거든. 뭐! 이 가난하고, 천하고, 못되고, 꾀죄죄한 사기꾼아! 꺼져, 이 곰팡내 나는 악당아, 꺼지라고! 난 네 주인 거라고.

---

35. 폴스타프는 잔을 비우다란 뜻으로 discharge를 썼는데 피스톨(영어로 '권총'이라는 뜻)은 '(총알을) 발사하다'란 뜻으로 그 단어를 되받아치고 있다. 또 이 말에는 '(정액을) 방사하다'라는 성적인 의미도 이중적으로 담겨있다.

피스톨 도로시 양, 내 자넬 잘 알거든.

돌 꺼지라니까, 이 소매치기 악당아, 더러운 날치기야, 꺼지라고! 만약 나한테 수작을 부리면 이 술에 걸고 맹세하는데 그 곰팡내 나는 턱주가리를 칼로 푹 쑤셔주마. 그러니 꺼져. 김빠진 맥주 같은 놈아, 시시한 칼이나 차고 다니는 사기꾼 놈아! 그래 언제부터 장수가 되셨어요, 나리? 세상에 어깨에 견장을 두 개나 달고? 꼴값하네. 125 130

피스톨 그 따위 소리를 하다니 내 목숨을 걸고 네 주름 잡힌 옷깃을 찢어주고 말테다.[36]

폴스타프 그만하게, 피스톨! 여기서 발사해선 안 되지. 일단 자리를 떠주게나, 피스톨.

주모 그럼요. 피스톨 대장님. 여기선 안 되죠, 대장님. 135

돌 대장님이라고! 이 천벌을 받을 사기꾼 놈아, 대장님이라는 소리 듣는 게 부끄럽지도 않냐? 대장들이 나랑 생각이 같다면 네 놈을 곤봉으로 두드려 팰 게다. 대장이 되기도 전에 자기들 명의를 도용했다고. 대장은 무슨? 어디서 쓰레기 같은 게, 뭘 잘했다고? 아, 술집에서 불쌍한 창부 주름 장식을 잘 찢어서? 이런 게 대장이라고? 목이나 매시지, 악당 같으니! 술집에서 곰팡이 핀 찐 자두나 말라비틀어진 케이크 쪼가리나 얻어먹고 사는 게 대장은 무슨 대장! 정말이지, 저런 놈들은 대장이란 말을 '점령하다'[37]라는 말처 140

36. 당시 매춘부들은 목 부분에 주름장식이 큰 옷을 입었는데 그것을 찢는다는 말은 비유적으로 성폭행을 뜻했다.

37. occupy라는 단어를 두고 하는 말이다. 이 단어는 비속어로 '섹스하다'는 뜻으로 쓰인다.

145 럼 구역질나게 만들 거야. 그 말도 그렇게 더럽게 쓰이기 전에는 좋은 말이었거든. 그러니 대장들은 조심해야 할걸.

바돌프 자, 내려갑시다. 기수 양반.

폴스타프 이리와 내 말 좀 들어봐, 돌 양.

150 **피스톨** 나 안 내려가. 바돌프 하사, 나 저 계집 찢어놓을 수 있다니까! 복수하고 말거야.

시동 제발 내려가세요.

피스톨 저년이 지옥에 떨어지는 거 먼저 보고! 내 손으로 플루토가 다스리는 지옥의 스틱스 강으로, 암흑과 끔찍한 고통이 있는 지옥의 심연

155 으로 보내버리겠다. 내려가라, 내려가, 개 같은 놈들아! 내려가라고, 사기꾼들아! 나한텐 뭐 하이렌[38]이 없는 줄 알아! [칼을 뺀다.]

주모 피즐[39] 대장님, 진정 좀 하세요. 밤이 너무 늦었다고요, 정말. 제발, 이제 그만 성질 좀 죽이세요.

160 **피스톨** 성마름은 좋은 기질이야. 짐말이나 잔뜩 먹고도
하루에 30마일 밖에 가지 못하는 아시아의
노쇠한 말을 시저와 칸니발[40], 트로이를 정복한
그리스의 영웅들과 비교하겠다는 거냐? 아니 차라리
그것들을 지옥의 케르베로스[41] 왕께 던져주어
165 하늘이 울부짖게 하라!

---

38. 피스톨이 자기 칼에 붙인 이름이다. 하이렌이란 비잔틴 황제 레오 4세의 아내인 이레네(Irene)를 가리킨다.
39. 당시 피스톨을 구어체로 발음할 때 피즐(Peesel)이라고 했다.
40. 카르타고의 영웅 한니발을 잘못 말하고 있다.
41. 케르베로스는 그리스 신화에 나오는 지옥문을 지키는 개로 머리가 셋이 달려있다.

사소한 일로 싸우려는가?

주모 정말이지, 대장님, 말씀이 너무 지나치십니다.

바돌프 자, 기수, 갑시다, 이러다 곧 큰 싸움이 나겠어요.

피스톨 사람을 개같이 죽여! 왕관을 핀처럼 주어버리고! 어디 하이렌이 170
없는 줄 알아!

주모 이런 이런, 대장님, 여기 그런 사람이 어디 있어요.[42] 원 세상에, 내가
그 여잘 숨겨놓고 안 내놓는 줄 아세요? 제발 조용히 좀 하세요.

피스톨 그럼 실컷 먹고 돼지나 돼라, 나의 아름다운 칼리폴리스[43]! 175
자, 술 좀 가져와.
불운이 나를 괴롭혀도 희망이 날 만족시키노라.
일제사격인들 두려워할 줄 아냐? 아니, 악마더러 발사하라고 해봐라.
술이나 좀 가져와. 나의 사랑스러운 검아, 여기 누워 있거라!

[칼을 내려놓는다.]

이걸로 만사 종결이란 말인가? 뭐 보너스 같은 거 없나? 180

폴스타프 피스톨, 조용히 좀 했으면 좋겠네.

피스톨 기사 나리, 소인 나리 손에 입 맞추고 물러가겠습니다. 아! 우린
북두칠성을 같이 본 적이 있지요.[44]

돌 제발 저 인간을 아래층으로 밀어버리세요. 저런 허풍쟁이는 못
봐주겠어요. 185

---

42. 주모는 피스톨이 하이렌이라는 여자를 찾고 있는 줄 착각한다.
43. 칼리폴리스(Calipolis)는 조지 필(George Peele)의 희극 『알카자 전투』(*Battle of Alcazar*)에 나오는 물리 마하멧(Mully Mahamet)의 아내로서 남편은 그녀에게 사자의 살을 먹인다.
44. 밤중에 소매치기 같은 나쁜 짓을 함께 했다는 의미이다.

피스톨 아래층으로 밀어버리라고? 내가 조랑말들[45]을 모를 줄 알아?

폴스타프 저자를 아래층으로 던져라, 바돌프. 고리 던지듯. 도대체 저자

190 는 쓸데없는 소리만 하니 도무지 쓸데가 없어.

바돌프 자, 아래층으로 내려갑시다.

피스톨 뭐! 피를 보겠다는 건가? 꼭 그래야겠다는 건가? [칼을 낚아채면서]

그렇다면 죽음이여 날 잠들게 하라, 내 슬픈 날을 단축시켜다오!

그리하여 쓰라리고, 무시무시하게 입을 벌린 상처로

195 운명의 세 자매가 잣는 생명줄을 끊어라! 오라, 아트로포스[46]여!

주모 이거 정말 큰일 나겠네.

폴스타프 내 칼을 주거라, 얘야.

돌 잭, 제발 칼을 뽑지 말아요.

폴스타프 [칼을 뽑으며] 이놈 아래층으로 내려가지 못할까?

200 **주모** 이거 큰 소동이 벌어지겠네. 이런 무서운 싸움에 끼어들지 않게 술

집을 그만 두든가 해야지! [폴스타프, 피스톨을 찌른다.] 기어코 살인이

나겠구먼! 이런, 이런, 그 칼 좀 칼집에 넣어요, 칼 좀 넣으라고요.

[바돌프, 피스톨을 몰고 나간다.]

205 **돌** 제발, 잭, 진정해요. 그 불한당은 갔어요. 아, 당신은 귀엽고 용감

한 빌어먹을 악당이에요!

폴스타프 당신 사타구니 다치지 않았어? 그놈이 당신 배를 아주 세게

---

45. 돌 티어쉬트를 비유하는 표현으로 누구나 올라타는 창부라고 조롱하는 것이다.

46. 운명의 여신 세 자매 중 클로토는 운명의 실을 잣는 여신이자 임신 기간인 열 달을 관장하는 여신이다. 라케시스는 인간의 생명의 길이에 할당하는 실을 감는다. 아트로포스는 생명의 실타래를 자르는 역할을 하여 인간의 죽음의 시기와 방법을 결정하는데 가차 없는 가위질로 인간의 생명을 거두어들인다.

찌르는 것 같던데.

바돌프 다시 등장

폴스타프 그놈을 문 밖으로 쫓아냈냐?

바돌프 네, 나리. 그자는 너무 취했어요. 나리가 그자 어깨에 상처를 내셨던데요. 210

폴스타프 나쁜 놈, 감히 나한테 덤벼!

돌 아, 귀엽고 사랑스러운 나의 악당! 세상에 불쌍하게도 이렇게 땀을 흘리다니! 가요, 내가 얼굴을 닦아줄 테니. 어서요, 요 뚱보님! 아, 악당 같으니! 당신을 정말 사랑해요. 당신은 트로이의 헥토르 215 만큼이나 용감하고, 아가멤논보다 다섯 배나, 그리고 아홉 영웅[47] 보다 열 배나 값어치가 있어요. 아, 악당 같으니!

폴스타프 불한당 같은 노예 놈! 그놈을 이불에 싸서 던져버릴 테다.

돌 그렇게 하세요. 목숨 걸고 해보세요. 그럼 내가 당신을 이불 사이에 220 싸서 얼러줄게요.

악사들 등장

시동 악사들 왔습니다, 나리.

폴스타프 풍악을 울리게 해라. 이보게들, 연주해보게! [연주한다.] 내 무릎에 앉아라, 돌. 허풍쟁이 악당 노예 놈! 그 불한당 놈이 정신없이 내뺐구나. 225

---

47. 중세에는 역사적으로 유명한 아홉 명의 전사들을 가리켜 아홉 위인(Nine Worthies)이라고 불렀는데, 그중 성서에 나오는 인물은 다윗 · 여호수아 · 유다 마카베오 세 명이다.

돌 정말 그래요. 그리고 당신은 대성당이 움직이듯 그자를 쫓았죠.[48] 이 땅딸막한 바톨로뮤 시장의 돼지 같은 양반, 언제 당신은 낮에는 싸움질, 밤에는 계집질을 그만두고 그 늙은 몸뚱이를 수선하여 천당에 갈 준비를 하실래요? 230

급사로 변장한 헨리 왕자와 포인즈 뒤쪽에서 등장

폴스타프 쉿, 돌! 해골바가지 같은 소리 그만두게. 인생 종말을 생각하게 만들지 말라고.

돌 근데, 왕자님은 어떤 분이세요?

폴스타프 천박하지만 괜찮은 풋내기지. 빵을 잘 썰면 식료품 가게에서 일하는 자가 됐을 텐데. 235

돌 포인즈는 아주 똑똑하다면서요?

폴스타프 그놈이 똑똑하다고? 그 비비 같은 놈, 목이나 매라지. 그놈의 기지는 튜크스베리의 겨자[49]처럼 둔해. 나무망치처럼 재치라고는 찾아볼 수가 없다니까.

240 **돌** 근데 왕자님은 왜 그자를 그렇게 좋아해요?

폴스타프 그건 둘 다 발이 크고, 포인즈란 놈이 고리던지기를 잘 하고, 회향초로 요리한 붕장어를 먹고, 촛불 켠 접시 위에 놓인 잔의 술을 잘 마시고, 꼬마들과 말타기 놀이를 하고, 의자 뛰어넘기를 하고, 성스러운 분들을 걸고 맹세도 잘 하고, 구둣방에 걸린 간판 245 그림처럼 부츠도 맵시 있게 신고, 아주 신중하게 이야기해서 남

---

48. 사실은 조금도 쫓지 않았다는 뜻이다.

49. 튜크스베리는 글로스터셔에 있는 유명한 시장 마을이다.

의 울화를 불러일으키지도 않고, 운동을 잘 하여 머리는 좀 둔하나 육신은 튼튼한 것 같으니 그런 점 때문에 왕자가 그자를 인정하는 거지. 왜냐하면 왕자도 바로 그런 부류거든. 두 사람은 머리카락 한 올 차이도 안 난다니까. 250

왕자 [포인즈에게 방백] 이 수레바퀴통 같은 놈의 귀를 베어버려야 하지 않겠나?[50]

포인즈 [왕자에게 방백] 자기 창녀가 보는 앞에서 두들겨 패줍시다. 255

왕자 [포인즈에게 방백] 저 늙어빠진 노인네가 앵무새처럼 머리를 쓰다듬게 하고 있는 것 좀 보게나.

포인즈 [왕자에게 방백] 발휘할 힘은 없는데 저렇게 오랫동안 욕정이 살아 있는 게 이상하지 않습니까?

폴스타프 키스해줘, 돌. 260

왕자 [포인즈에게 방백] 올해는 토성과 금성이 결합하는 해인가![51] 달력에는 뭐라고 쓰여 있는가?

포인즈 [왕자에게 방백] 그의 부하인 저 불타는 3궁[52]이 제 주인이 쓰다 만 탁자이자 그의 메모장이자, 상담역[53]에게 수작부리고 있는 것 좀 보십시오. 265

---

50. 위증죄에 대한 처벌로 귀를 베었다.

51. 토성의 이름은 신화에 나오는 사투르누스(Saturn)이고 금성의 이름은 비너스(Venus)이다. 각각 색욕이 강한 남신과 여신이다.

52. 황도 12궁을 불, 물, 땅, 공기를 가리키는 4개의 3궁으로 나눈다. 그중 불의 3궁에 해당하는 것은 양자리, 사자자리, 사수자리이다. 코가 늘 빨간 바돌프를 가리키는 비유이다.

53. 퀵클리 부인을 가리키는 말이다.

폴스타프 알랑거리느라 키스하는 척만 하는구나.

돌 정말 일편단심의 마음으로 키스해드린 거예요.

폴스타프 난 늙었어. 늙었고말고.

270 **돌** 내가 좋아했던 그 어떤 한심한 애송이들보다 당신을 더 사랑해요.

폴스타프 옷감으로 뭘 해줄까? 목요일엔 돈을 받을 거야. 모자는 내일 사고. 즐거운 노래를 연주하거라. 자, 밤이 깊었으니 잠자리에 들자. 내가 떠나면 새까맣게 날 잊겠지.

275 **돌** 당신 정말 날 울리려는군요. 그런 소리를 하다니. 나리가 돌아올 때까지는 몸단장이나 하나 보세요. 글쎄, 두고 보라니까요.

폴스타프 술 좀 가져와라, 프란시스.

왕자 · 포인즈 [앞으로 나서며] 갑니다요, 가요, 나리.

280 **폴스타프** [벌떡 일어나면서] 아니! 왕의 사생아 아니야? 너는 그의 의형제 포인즈고.

왕자 그래, 이 죄 많은 대륙들로 이루어진 지구본 같은 인간아.[54] 도대체 생활이 이게 뭐냐!

285 **폴스타프** 자네보단 낫구먼. 그래도 난 신사인데 자넨 급사 아닌가.

왕자 그래 맞다. 네 놈의 귀를 잡고 끌고 가려고 온 급사다.

주모 오 하나님이 우리 왕자님을 보호하셨군요! 정말 런던에 잘 돌아오셨습니다! 왕자님의 얼굴을 다시 뵈어 하나님께 감사드립니다!

290 오, 주님, 웨일즈에서 오시는 길이에요?

폴스타프 폐하의 미친 사생아야! [돌을 가리키며] 이 경박한 살덩이와 썩어 빠진 피에 걸고, 정말 환영한다.

---

54. 죄가 많다는 의미와 몸집이 지구본처럼 둥글다는 의미를 동시에 지니고 있다.

돌 뭐! 이 뚱보 얼간이가! 웃기고 자빠졌네.

포인즈 왕자님. 저자는 희희덕거리면서 왕자님의 보복에서 빠져나갈 것 입니다. 왕자님이 본때를 보여주지 않으시면. 295

왕자 양초를 만드는 기름 광산 같은 사생아 놈아.[55] 나에 대해 어찌 그리 상스럽게 말하느냐. 이 정직하고, 정숙하고, 얌전하신 귀부인들 앞에서.

주모 그 선량하신 마음에 신의 축복이 있으시길! 이 아가씨는 정말 그런 여자입니다. 300

폴스타프 들었어?

왕자 물론 들었지. 개즈힐에서 도망쳤을 때처럼. 다 알고 있었으면서. 네 놈은 내가 등 뒤에 있는 걸 알면서 내 인내심을 시험해보려고 일부러 그러는 거잖아. 305

폴스타프 아냐, 아냐, 아냐, 절대 그렇지 않아. 자네가 듣고 있는지 몰랐다고.

왕자 네 놈이 고의적으로 내 욕을 했다고 고백하게 만들겠다. 그러면 네 놈을 어찌 처리해야 할지 알게 되겠지.

폴스타프 욕 안했어, 핼, 내 명예를 걸고, 욕하지 않았어. 310

왕자 욕을 안 했다고? 날 비방하고, 식료품 가게 일꾼이니 빵 써는 놈이니, 그리고 뭐라 했더라?

폴스타프 욕은 안했네, 핼.

포인즈 욕은 안 했다고?

폴스타프 욕은 안 했다고, 네드, 전혀. 정직한 네드, 절대 안 했다고. 내가 이 사악한 것들 앞에서 그를 비방한 건 [왕자에게 돌아서며] 그들 315

---

55. 폴스타프가 지방덩어리라는 것을 조롱하는 표현이다.

이 자네를 사랑하게 될까 봐 그런 거야. 그건 세심한 친구이자 충직한 신하로서의 소임을 다한 거지. 자네 아버지가 내게 감사할
320 일이라고. 욕은 안 했어, 핼. 절대, 네드. 절대 안 했다니까. 정말 아냐. 여보게들, 아니라고.

왕자 오로지 공포심과 두려움 때문에 우리들을 진정시키려고 저 정숙한 여자들을 욕되게 만드는 것 좀 보게나. 이 여자가 사악한가? 여
325 기 이 주모가 사악한가? 아님 이 꼬마가 사악한가? 그것도 아님 그의 열정이 코에서 불타고 있는 이 정직한 바돌프가 사악한가?

포인즈 대답해보시지, 이 죽은 느릅나무 같은 놈아, 대답하라고.

폴스타프 악마가 이미 바돌프는 구원이 불가능할 정도로 타락시켜서
330 그의 얼굴은 루시퍼의 전용 부엌이고 거기서 저자는 술고래의 요리를 굽고 있지. 이 꼬마는 주위에 착한 천사들도 있지만 악마들도 따라다니고 있어.

왕자 그럼 이 숙녀들은?

335 **폴스타프** 한 여자는 이미 지옥에서 죄 많은 영혼을 정화하고 있고. 다른 여자에 대해서는 내가 돈을 좀 꾸었는데 그것 때문에 천벌을 받을지 아닐지 잘 모르겠군.

주모 아니, 절대 그럴 리 없어요.

폴스타프 그래, 나도 아니라고 생각해, 자네는 죗값을 다 치렀다고 생각
340 해. 그런데 자네한테는 다른 죄가 또 있잖아. 사순절에 금지된 고기를 이 집에서 먹게 한 죄 말이야. 아마 그것 때문에 지옥에서 고통의 비명을 지르게 될걸.

345 **주모** 술집들은 다 그러는데요, 뭘. 사순절에 양고기 한두 점이 어때서요?

왕자 이보시오, 아가씨―

돌 왜요, 왕자님?

폴스타프 왕자님이 욕구가 동하셨다는 거야. [피토가 문을 두드린다.]

주모 누가 문을 이렇게 세게 두드리지? 프란시스, 나가봐라. 350

피토 등장

왕자 피토, 아니 무슨 일이냐?

피토 부왕 전하께서 웨스트민스터에 계신데
북방에서 이십여 명의 지친 사자들이 연거푸
들이닥치고 있습니다. 그리고 제가 여기 오는 동안
십여 명의 대장들을 앞질러 왔는데 355
다들 모자도 쓰지 않은 채 땀을 흘리며 술집마다
문을 두드려 존 폴스타프 경을 찾았습니다.

왕자 이런, 포인즈. 내가 이런 소중한 시간을
불경스럽게 허비하고 있었다니 심히 자책이 된다.
검은 구름이 잔뜩 낀 남풍처럼 격렬한 폭풍우가 360
우리의 무장하지 않은 맨머리에
퍼부으려는 찰나에 말이다.
내 칼과 외투를 주거라. 폴스타프. 잘 있게나. [왕자와 포인즈 퇴장]

폴스타프 이제 아주 달콤한 밤이 찾아오려는데 난 그걸 따먹지 못하고
떠나야 하다니! [무대 안쪽에서 문 두드리는 소리. 바돌프 퇴장] 누가 또 365
문을 두드리나?

바돌프 다시 등장

그래, 무슨 일이냐?

바돌프 나리, 당장 궁으로 가셔야겠습니다.

십여 명의 대장들이 문에서 나리를 기다리고 계십니다.

370 **폴스타프** [시동에게] 악사들에게 돈을 줘라, 얘야. 잘 있어요, 퀵클리. 잘 있어, 돌. 다들 잘 보았지? 훌륭한 사람은 이렇게 불려 다닌다고. 유능한 사람이 이렇게 불려 다닐 때 쓸모없는 인간들은 잠이나 자겠지. 잘 있어요, 둘 다 잘 있게. 바로 떠나지 않으면 가기 전에

375 보러 오겠소.

돌 전 아무 말도 못하겠어요. 가슴이 터질까 봐—그럼, 사랑하는 잭, 몸조심하세요.

폴스타프 잘 있어요. 안녕. [폴스타프, 바돌프, 피토, 시동, 악사와 함께 퇴장]

380 **주모** 그래, 잘 가요. 완두콩이 익을 때면 당신을 안 지 스물아홉 해가 되지만 당신보다 더 정직하고 진실한 사람은—그래, 잘 가요.

바돌프 [안쪽에서] 티어쉬트 아가씨!

주모 왜요?

385 **바돌프** 티어쉬트 아가씨에게 우리 주인님한테 오라고 전해줘요.

주모 오, 뛰어 돌, 뛰라고. 온통 눈물범벅이로군. [돌에게] 그래, 올 거지, 돌? [퇴장]

3막

1장

웨스트민스터, 왕궁

잠옷을 입은 왕이 시동과 등장

왕 가서 써리 백작과 워리크 백작을 들라 하거라.
그러나 오기 전에 이 편지들을 읽어보고
곰곰이 생각해보고 오라 하라. 서둘러 다녀오너라. [시동 퇴장]
가장 미천한 백성들 중 얼마나 많은 이들이
5 지금 곤히 자고 있을까! 오 잠이여, 평온한 잠이여,
대자연의 부드러운 유모여, 내 그대를 얼마나 놀라게 했기에
그대는 나의 눈꺼풀을 내리눌러 내 감각들을
망각 속에 빠져들게 하지 않는 것이냐?
잠이여, 그대는 왜 호화로운 캐노피 밑에서
10 아름다운 음악이 자장가처럼 울리는
위대한 자의 향기 나는 방 대신
불편한 침대에 몸을 누이고
밤파리가 잠결에 윙윙거리는
연기 자욱한 오두막에 눕는단 말이냐?
15 아 둔감한 잠의 여신이여, 그대는 왜 비루한 자들과
더러운 침대에는 몸을 누이면서, 왕의 침상은

야경 초소나 화재 감시탑처럼 만드는 것이냐?
그대는 아찔할 정도로 높은 돛대 위의
뱃소년의 눈을 감겨, 위풍당당한
거친 파도라는 요람 속에서도, 20
괴물 같은 고개를 들고 빠르게 움직이는
구름 속에서 죽은 사람조차도 깨울 정도의
굉음을 내며 그놈을 파도 꼭대기까지
오르게 만드는 바람 속에서도
잠에 빠지게 하지 않느냐? 25
오, 불공평한 잠의 신이여, 그대는 비에 젖은 소년에게는
그렇게 소란스런 폭풍우 속에서도 휴면을 주면서
어이하여 너무나 조용하고 고요한 밤에
모든 것이 갖추어진 왕에게는 휴면을 주지 않는단 말이냐?
그렇다면 행복한 미천한 자들이여, 잠들거라! 30
왕관을 쓴 머리에는 근심 걱정뿐이니.

워리크와 써리 등장

워리크 편히 주무셨습니까, 폐하!
왕 벌써 새 날이더냐?
워리크 한 시가 지났사옵니다.
왕 그럼 그대들에게도 아침 인사를 건네야겠구나. 35
내가 보낸 편지들은 읽어보았는가?
워리크 그렇사옵니다, 폐하.

왕 그렇다면 경들도 우리나라가 얼마나 심한 병에
걸리고, 얼마나 고약한 질병들이 자라나고 있으며
40 그로 인해 심장 부근까지 얼마나 위험한 상태인지 알았을 것이오.

워리크 그것은 신체가 조금 탈이 난 정도에 불과한 것으로
좋은 조언과 약간의 처방으로 다시 예전의
건강을 회복할 수 있을 것이옵니다.
노섬벌랜드 경의 열기는 곧 식을 것이옵니다.

45 **왕** 오 신이시여! 사람이 운명의 책을 미리 읽을 수만 있다면,
그래서 시간의 윤회가 산을 평지로 만들고
그 견고함에 싫증을 느낀 대륙이 바다가 됨을
알 수만 있다면! 그리고 대양이 바다의 신 넵튠의
허리를 매기에 너무 넓어 조약돌 해변을 남기고
50 물러가는 날을 예측할 수 있다면. 운명의 조롱과
변화가 어떻게 운명의 술잔에 다양한 종류의
술을 채우는지를 알 수 있다면! 오, 이런 것을
운명의 책에서 미리 볼 수 있다면
아무리 행복한 젊은이도 자기가 뚫고 지나온
55 과거의 고난뿐만 아니라 앞으로 다가올 역경까지
들여다보고는 운명의 책을 덮고 그냥 주저앉아
죽고 싶을 것이오. 불과 십 년도 채 되지 않았소.
리처드 왕과 노섬벌랜드 경이 절친한 친구로서
함께 향연을 즐긴 것이. 그 뒤 2년도 지나지 않아
60 그들은 서로의 적이 되어 전쟁을 하였소. 불과 8년 전에

퍼시[56]가 나의 심복이 되어
마치 나의 형제처럼 내 일에 온갖 노고를 아끼지 않으며
자기의 사랑과 목숨까지 내게 바쳤소.
그렇소. 나를 위해 감히 리처드 왕의 면전에서
그에게 대들기도 했소. 그러나 그대들 중 누가 그때— [워리크에게] 65
맞아. 나의 사촌 네빌, 내 기억으로는 경이 있었소.
그때 노섬벌랜드 경이 심히 힐책하자
리처드 왕이 눈물을 글썽이면서 다음과 같은
말들을 했는데 그 말들이 정확한 예언임이 입증되지 않았소?
'노섬벌랜드, 나의 사촌 볼링브로크가 70
내 왕좌에 오르기 위해 타고 올라가는 사다리여!'
(그때는 하나님도 아시다시피 내게는 전혀 그럴 뜻이 없었소.
다만 국가의 필요에 의해 내가 마지못해
왕관에 키스하게 된 것이오.)
'언젠가'—하고 리처드 왕은 말을 이었소. 75
'언젠가 그 추악한 죄악이 곪고 곪아
터질 날이 올 것이다'라고 말이오.
그 말이 바로 지금의 상태를 이르는 것으로
우리의 우호적 관계가 깨질 것을 예언한 것이오.

워리크 모든 사람들의 삶에는 지나간 시대의 속성을 80
보여주는 역사가 담겨 있습니다.
그것을 잘 들여다보면 누구나 거의 정확하게

56. 노섬벌랜드 경을 이른다.

아직 태어나지 않았으나 발아 중인
앞으로 일어날 중요한 일에 대해
85 예측이 가능합니다.
그런 일들은 시간이 지남에 따라 부화하기 마련이니
바로 이런 필연성에 근거하여
리처드 왕께서는 자신에게 불충했던
맹장 노섬벌랜드가 더 큰 불충을
90 저지를 것이고 그런 불충은 다름 아닌
폐하를 향한 것이 될 것이라고 정확하게
예측할 수 있었던 것이옵니다.

왕 그럼 이번 역모는 필연성이란 말인가?
그렇다면 나도 필연적으로 그들에 응대하겠소.
필연이란 말이 나를 분기시키고 있소.
95 대주교와 노섬벌랜드의 병력이 오만(五萬)에
이른다고 들었소.

워리크 그럴 리가 없사옵니다, 폐하.
소문이란 메아리와 같아 두려워하는 자들의
귀에 숫자를 배가시키는 법입니다. 부디 폐하,
침소에 드시옵소서. 맹세코
100 폐하가 파견하신 병력만으로도
쉽사리 승전보를 가져올 것입니다.
더 위안이 되는 소식은 글렌다워가
전사했다는 확실한 증거를 확보했다는 것입니다.

폐하께서는 지난 2주 동안 편찮으셨는데
이렇게 늦은 시각까지 주무시지 않으면 105
병환이 악화되시옵니다.

왕 경의 충고에 따르겠소.
이 내란이 진압되면 우리 함께
성지로 순례를 떠납시다.

2장

글로스터셔, 섈로우 판사 집 앞

섈로우 판사와 사일런스 판사, 몰디, 섀도우, 워트, 피블, 불캐프와 함께 등장. 뒤에 하인들 뒤따른다.

섈로우 어서 오시오, 어서와, 어서. 악수를 나눕시다, 판사. 악수를. 일찍 일어나셨소. 정말. 오, 사일런스 판사, 어찌 지내시오?

사일런스 안녕하세요, 섈로우 판사님.

5 **섈로우** 부인께서는 어찌 지내십니까? 그리고 아름답기 그지없는 따님, 나의 대녀 엘렌은?

사일런스 아름답긴요, 뭘, 판사님!

섈로우 그나저나, 판사님. 윌리엄은 훌륭한 학자가 되겠지요. 아직도

10 옥스퍼드에 있지요? 안 그래요?

사일런스 그렇죠. 돈이 좀 들어서 탈이지.

섈로우 그럼 곧 법학원에 들어가겠군요. 난 예전에 클레멘트 법학원에 있었는데. 거기서는 아직도 날 미친 섈로우라고 말할 겁니다.

15 **사일런스** 그때 판사님은 '정력가 섈로우'라고 불렸지요.

섈로우 정말 난 별명이 많았죠. 또 정말 뭐든 다 하려고 했고요. 그것도 철저하게 말입니다. 거기에 나를 비롯해서 스태포드셔에서 온 키 작은 존 도이트, 시커먼 조지 반즈, 프란시스 픽본, 코츠월드

20 에서 온 윌 스퀼이 있었죠. 온 법학원을 다 뒤져봐도 그런 4인

조 허세꾼들은 없었을게요. 판사님이니까 말이지, 우린 괜찮은 창녀들이 있는 곳을 알아서 마음대로 그중 가장 괜찮은 여자들을 차지했죠. 그때 존 경은 잭 폴스타프라는 꼬마였죠. 노포크 공작인 토마스 모우브레이의 시동이었고요. 25

사일런스 병사들을 모집하러 이쪽으로 곧 온다는 존 경 말이세요?

섈로우 바로 그 존 경 말입니다. 난 그가 궁정문에서 왕의 광대의 머리를 깨뜨리는 걸 보았죠. 그때 그는 키가 요만큼도 안 되는 아이였죠. 30 바로 그날 난 그레이 법학원 뒤에서 과일장수인 삼손 스톡피쉬랑 싸웠죠. 허참, 정말 광란의 시절이었죠! 그런데 그 옛 친구들 중 많은 이들이 죽었죠!

사일런스 우리도 모두 따라갈 테지요. 35

섈로우 그럼요. 그럼. 그렇고말고. 시편을 쓴 사람의 말마따나 모두들 죽게 마련이죠.[57] 우리 모두. 스탬포드 시장[58]에서 좋은 황소 한 쌍이 얼마나 하던가요?

사일런스 실은, 거긴 가지 않았습니다.

섈로우 죽음은 피할 수 없죠. 판사님, 마을의 노인장 더블은 아직 살아있나요? 40

사일런스 죽었어요.

섈로우 저런, 저런, 죽었군! 활을 아주 잘 쐈는데 죽었군! 활을 정말 잘 쐈지요. 국왕 폐하의 아버님이셨던 곤트의 존 나리가 그자를 아주 아껴 그에게 돈을 많이 거셨는데. 죽었군! 그는 240야드나 45

---

57. 시편 89편 47절 "누가 살아서 죽음을 보지 아니하고(What man is hee that liveth, and shall not see death?)"를 가리킨다.

58. 링컨셔에 있는 시장으로 2월, 사순절, 8월에 대규모 가축시장이 열린다.

떨어진 과녁을 맞추고 무거운 활도 280야드나 290야드나 날려 보내곤 했는데 그것이 보는 사람의 마음을 시원하게 해주곤 했죠. 암양 스무 마리는 요즘 얼마나 하죠?

50 **사일런스** 질에 따라 다르죠. 좋은 양이면 10파운드쯤 할 겁니다.

섈로우 그런데 그 노익장 더블이 죽었어요?

사일런스 존 폴스타프 경의 부하 둘이 오는 것 같은데요.

바돌프와 동행 한 명 등장

섈로우 안녕하세요, 신사 양반들.

55 **바돌프** 실례지만 어느 쪽이 섈로우 판사님이시죠?

섈로우 내가 이 마을의 보잘 것 없는 향사이자 국왕 폐하가 임명한 치안판사 중 한 명인 로버트 섈로우올시다. 무슨 일이시오?

바돌프 저의 대장님이 안부를 전하라 하셔서요. 저의 대장님이신 존 폴스

60 타프 경은 정말 씩씩한 신사이시고 아주 용감한 지휘관이십니다.

섈로우 그런 안부 인사를 받아 기쁘군요. 그는 외날 칼을 잘 썼던 걸로 기억합니다. 그래 그 기사양반은 잘 지내시오? 부인도 잘 지내시고?

65 **바돌프** 나리, 실례지만 장수는 아내를 갖는 것보다 더 많은 편의를 제공받고 있습니다.

섈로우 정말 옳으신 말씀이오. 또한 정말 딱 맞는 말씀이오. '더 많은 편의를 제공받는다' 좋습니다. 정말 좋아요. 좋은 어구는 예나

70 지금이나 칭찬할 만하죠. '편의를 제공받다'는 말은 '편의를 제공하다'라는 말에서 나온 거죠. 아주 아주 좋은 말이에요.

바돌프 실례지만, 나리, 저도 그 말을 들은 적이 있습니다. 어구라고 하

셨죠? 사실, 저는 그 어구를 잘 모르지만 제 칼을 걸고 맹세코 그 말을 군인다운 말이자 아주 훌륭한 지휘관의 말로 명심하겠습니다. 편의를 제공받다, 즉 어떤 이가 편의를 제공받는다고들 하거나, 또는 어떤 사람이 편의를 제공받는다고 여겨질 수 있는 처지에 있으면 아주 좋은 것이죠. 75

섈로우 그야말로 지당한 말씀이오. 80

폴스타프 등장

보시오. 저기 훌륭하신 존 경이 오시는군요. 손을 주십시오. 귀하신 손을 주십시오. 정말 좋아보이시는군요. 아주 잘 나이가 드셨어요. 어서 오십시오, 존 경.

폴스타프 좋아보이셔서 다행이오, 로버트 섈로우 양반. 댁은 슈어카드 씨 아닌가요? 85

섈로우 아닙니다, 존 경. 이분은 나의 동료인 사일런스 씨입니다.

폴스타프 사일런스 씨, 치안판사직에 잘 어울리시는 분 같소. 90

사일런스 어서 오십시오.

폴스타프 이런! 정말 덥군. 그런데 건장한 자들로 대여섯 명 준비해두셨지요?

섈로우 그럼요, 앉으시지요.

폴스타프 좀 보여주시겠어요? 95

섈로우 명부가 어디 있지? 명부 어디 있나? 어디 있나? 어디 보자. 어디 봐. 어디 보자고. 에, 그러니까, 에—. 네, 나리. 랠프 몰디! 내가 부르면 나오라고 해. 나오라고. 나오란 말이야. 어디 보자. 몰디 어디 있나? 100

몰디 여기 있습니다, 나리.

섈로우 어떻습니까, 존 경? 사지 건강하고, 젊고, 힘도 좋고, 인간관계도 좋습니다.

폴스타프 자네 이름이 몰디인가?

105 **몰디** 그렇습니다. 나리.

폴스타프 곰팡내 그만 풍기고 써먹을 때가 딱 됐군.[59]

섈로우 하, 하, 하! 아주 훌륭하십니다. 정말 곰팡내 나는 것들은 좀 써먹어야죠. 아주 기가 막힌 말씀입니다, 존 경. 기가 막혀요.

110 **폴스타프** 저자 찍으시오.

몰디 전 이미 너무 찍혔으니 빼주십시오. 늙으신 어머니가 농사일이나 고된 일들을 해줄 사람이 없어 절망하실 겁니다. 굳이 저를 찍으실 필요가 없으십니다. 저보다 입대하기에 더 적합한 자들이 많

115 으니까요.

폴스타프 쳇, 닥쳐라, 몰디. 널 징집할 게다, 몰디. 이제 좀 써먹을 때가 됐다니까.

몰디 써먹다니요?

섈로우 이봐, 조용히 해. 조용히 하고, 한쪽으로 비켜서. 감히 어느 안전

120 이라고? 다음 부를까요, 존 경. 가만 있자. 사이먼 섀도우!

폴스타프 거 좋구먼. 그 친구 밑에 앉아 있으면 되겠군. 시원한 병사가 될 것 같군.[60]

---

59. 몰디(moldy)라는 단어는 '곰팡이 핀, 곰팡이 같은'이란 뜻이다. 폴스타프는 이후 계속 징집 대상자들의 이름을 가지고 농담을 한다.
60. '그늘'이라는 뜻의 섀도우(shadow)란 이름을 갖고 하는 농담이다.

섈로우 섀도우 어딨나?

섀도우 여기 있습니다, 나리. 125

폴스타프 섀도우, 자넨 뉘집 자제인가?

섀도우 제 엄니의 아들입니다.

폴스타프 엄마의 아들이라! 그럴싸하군, 그리고 자네 아버지의 그림자이고.[61] 그럼 여자의 아들은 남자의 그림자로군. 사실 아들에게 아버지의 본질이 별로 없는 경우가 종종 있지! 130

섈로우 이자가 맘에 드십니까, 존 경?

폴스타프 섀도우는 여름에 써먹을 데가 있을 것이오. 저자 찍으시오. 징집자 명부를 채워야할 그림자들이 필요하니.

섈로우 토마스 워트[62]! 135

폴스타프 어디 있는가?

워트 여기 있습니다, 나리.

폴스타프 자네 이름이 워트인가?

워트 그렇습니다. 나리.

폴스타프 사마귀치고는 차림새가 너무 너덜너덜하군. 140

섈로우 이자를 찍을까요, 존 경?

폴스타프 이미 지나치게 찍힌 것 같은데. 그자의 옷이 등짝 위에 겨우 걸쳐져서 몸이 핀들 위에 서있는 거 마냥 위태로워 보여. 그만 찍읍시다.[63]

---

61. 아들이란 영어 단어 son이 태양을 가리키는 sun과 동음이의어인 것을 이용한 말장난이다.

62. 워트(wart)는 '사마귀'란 뜻이다.

63. 여기서 징집대상자를 명부에 체크한다는 뜻으로 쓰이는 prick이란 단어는 '바늘로

145 **섈로우** 하, 하, 하! 그러십시오, 나리. 그러셔요. 정말 대단하십니다. 다음은 프란시스 피블!

피블 여기 있습니다, 나리.

폴스타프 직업이 무언가, 피블?

피블 여자 옷을 만듭니다, 나리.

150 **섈로우** 이자 찍을까요, 나리?

폴스타프 그러시지요, 하지만 이자가 만약 남자 옷 만드는 자라면 이자가 댁을 찔렀겠죠. 여자 속치마를 바늘로 찔러 왔던 것만큼 적진에 많은 구멍을 낼 수 있겠는가?

155 **피블** 힘껏 해보겠습니다, 나리. 더할 나위 없이.

폴스타프 훌륭한 대답이다, 여자 재단사! 훌륭해, 용감한 피블[64]! 자넨 아주 화가 난 비둘기나 가장 배포가 큰 쥐처럼 용감할걸세. 이 여자

160 재단사를 찍으시오. 좋소, 섈로우 판사. 꼭 찍으시오. 섈로우 판사.

피블 워트가 같이 가면 좋겠습니다, 나리.

폴스타프 자네가 남자 재단사라면 그자를 적당히 손봐서 데려갔을 텐데. 그리고 그자는 사병으로 데려갈 수 없네. 수 천 마리의 이를 끌고

165 다니니. 그 정도 하게나, 막강한 피블.

피블 알겠습니다, 나리.

폴스타프 고맙네, 피블. 다음은 누구요?

섈로우 목장의 피터 불캐프[65]입니다.

찌르다'란 뜻도 있다. 폴스타프는 그런 동음이의어를 이용하여 말장난을 하고 있다.

64. 원래 피블(feeble)이란 단어는 '약한'이란 뜻이다. 따라서 '용감한 피블'이란 표현은 아이러니를 불러일으킨다.

65. 불캐프(bullcalf)란 '황소'라는 뜻이다.

폴스타프 좋소, 불캐프를 봅시다.

불캐프 여기 있습니다, 나리. 170

폴스타프 과연 황소다운 친구군! 자 불캐프가 다시 황소처럼 울부짖기 전에 찍읍시다.

불캐프 오, 나리, 존경하는 대장님 —

폴스타프 뭐야, 자넨 찍기도 전에 울부짖는 건가?

불캐프 오 나리, 전 환자입니다. 175

폴스타프 무슨 병에 걸렸는가?

불캐프 빌어먹을 감기에 걸렸습니다, 나리. 기침 말입니다. 국왕 폐하의 대관식날 축하 종을 치다가 감기에 걸렸습니다, 나리.

폴스타프 그럼, 가운을 걸치고 출전시켜주지. 우리가 감기를 쫓아주마. 180 그리고 자네 동료 병사들이 자넬 위해 종을 울리도록 해주마.[66] 이게 다요?

섈로우 요청하신 인원보다 두 명 더 있습니다. 네 명만 더 보시면 됩니다, 나리. 그러니 저와 함께 들어가서 식사나 하시죠. 185

폴스타프 그럽시다, 술이나 한잔 같이 해야지 식사할 시간은 없습니다. 정말 만나서 반갑소, 섈로우 판사.

섈로우 오, 존 경. 세인트 조지 들판에 있던 윈드밀에서 밤샘했던 거 기억하십니까? 190

폴스타프 그 얘기는 그만 합시다. 섈로우 판사, 그 얘긴 그만해.

섈로우 참, 재밌는 밤이었지요! 제인 나이트워크는 살아있죠?

---

66. 이중의 의미를 지니고 있다. 불캐프가 치던 종치기의 역할을 동료들에게 시키겠다는 의미와 그가 죽으면 동료들이 조종(弔鐘)을 울리게 하겠다는 의미.

195 **폴스타프** 살아있습니다, 섈로우 판사.

섈로우 저를 그렇게 못 견뎌 하더니.

폴스타프 그랬지요, 정말. 항상 섈로우 판사 옆에는 못 있겠다고 말했지요.

섈로우 정말 전 그 여자를 발끈하게 만들곤 했습니다. 그때 그 여잔 꽤
200 고급 창부였는데 지금도 여전하죠?

폴스타프 늙었지요, 늙었어. 섈로우 판사.

섈로우 하긴 늙었겠지요, 늙지 않을 리가 없죠. 분명 늙었을 거예요. 내가 클레멘트 법학원에 가기 전에 나이트워크 노인의 아들 로빈 나이트워크를 낳았으니까요.

205 **폴스타프** 55년 전 일이네요.

섈로우 정말이지, 사일런스 판사, 당신도 이 기사 분과 내가 본 것을 보셨어야 하는데! 그렇지 않습니까, 존 경?

210 **폴스타프** 우리는 한밤중에 울리는 종소리를 들었죠, 섈로우 판사.

섈로우 맞아요, 그랬지요, 그랬고말고요. 정말 존 경, 우린 그랬어요. 우리의 암호는 '이보게들, 한 잔 어때!'였죠. 자 식사하러 갑시다, 식사하러. 세상에, 그런 때가 있었는데. 자, 자.

[폴스타프, 섈로우, 사일런스 퇴장]

215 **불캐프** 바돌프 나리, 제 편이 되어주십시오. 여기 프랑스 화폐로 40실링[67]을 드리겠습니다. 정말, 나리, 전 군대 끌려가느니 차라리 교수형을 당하겠습니다. 저 자신만 생각하면 아무 상관없습니
220 다. 그래도 마음이 내키지 않으니 저로서는 친구들과 함께 남아 있고 싶습니다. 그것만 아니라면 나리, 전 아무 상관없습니다.

---

67. 1/2 파운드가 10실링이니, 40실링이면 2파운드다.

저 자신은 정말 그렇습니다.

바돌프 그래, 옆으로 비켜서게.

몰디 저도요, 나리. 제 늙은 어미를 위해 제 편이 되어주십시오. 제 어미는 내가 가버리면 돌봐줄 사람이 아무도 없는데 너무 늙으셔서 혼자 건사하지 못하십니다요. 여기 40실링 드리겠습니다. 225

바돌프 그래, 옆으로 비켜서게.

피블 정말 난 상관없어요. 사람은 어차피 한 번밖에 안 죽잖아요. 살고 죽는 것은 하나님의 뜻이니. 난 치사한 생각 품지 않을 거예요. 230 그게 내 팔자라도 좋고, 아니면 또 어떻습니까. 너무 훌륭해서 군주에게 봉사할 수 없는 자는 없죠. 될 대로 되라죠. 올해 죽으면 다음에 또 죽지 않는 법이죠.

바돌프 말 한번 잘했다, 멋진 친구네.

피블 정말 난 치사한 생각은 하지 않을 거예요. 235

폴스타프와 판사들 다시 등장

폴스타프 자, 판사 나리, 누굴 데려갈까요?

샐로우 원하시는 대로 네 명 데려가십쇼.

바돌프 [폴스타프에게 방백] 나리, 잠깐 드릴 말씀이. 제가 몰디와 불캐프를 징집 안 하는 대가로 3파운드를 받았습니다.[68]

폴스타프 [바돌프에게 방백] 그래, 잘했다. 240

샐로우 자, 존 경, 어떤 놈들을 데려가시겠습니까?

68. 두 사람에게서 각각 2파운드씩을 받았는데 3파운드라고 보고하는 것으로 보아 그 중 1파운드는 바돌프가 착복한 것이다.

폴스타프 판사님이 대신 좀 골라주시오.

섈로우 정 그러시다면 몰디, 불캐프, 피블, 섀도우를 데려가시지요.

245 **폴스타프** 몰디와 불캐프라. 몰디, 자네는 군복무 기간이 끝날 때까지 집에 머무르도록. 그리고 불캐프 자넨 좀 더 자란 뒤 군복무를 하도록. 따라서 너희 둘은 데려가지 않겠다.

섈로우 존 경, 존 경, 무슨 말씀이세요? 저자들이 가장 적격자들이어서

250 제가 가장 적임자로 추천하려던 자들인데요.

폴스타프 섈로우 판사, 내게 사람 고르는 법을 가르치겠다는 것이오? 내가 사람을 사지, 근육, 체격, 체구, 큰 몸집만 보고 고르는지 아시오? 정신이 제대로 박힌 자를 추천해주시오, 섈로우 판사. 여기

255 워트를 한번 보시오. 외모는 얼마나 거지 같습니까—하지만 이자는 백랍 장인의 망치 같은 동작으로 장전하고 발사하고 양조장의 술통을 들어올리는 자보다 더 빨리 퇴각하고 돌진할 게요. 그리고 여기 얼굴이 반쪽인 섀도우, 내게 이런 자를 달란 말씀이오.

260 이 사람은 적의 표적이 되지 않을 거요. 왜냐하면 적들은 주머니 칼의 칼끝을 겨냥하는 것과 같이 조준해야 할 거요. 그리고 퇴각할 때는 여자 옷 만드는 이 피블이 얼마나 빨리 도망치겠소! 오,

265 마른 사람을 추천해달란 말이오. 건장한 자들 말고. 워트의 손에 소총을 쥐어주게, 바돌프.

바돌프 총을 쥐게나, 워트. 전진—하나 둘! 하나 둘! 하나 둘!

폴스타프 자, 총을 다루어봐라. 그렇게, 아주 잘했다! 그래, 아주 좋아! 대단히 훌륭해! 아, 항상 이렇게 작고, 비쩍 마르고, 늙고, 쪼글쪼

270 글하고, 머리가 벗어진 사수들을 추천해주시오. 잘했다, 정말, 워

트, 자넨 아주 훌륭한 사미귀 병사다. 상으로 6펜스를 주마.

섈로우 그자가 뭘 잘한다 그러십니까, 제대로 하지도 못하는구먼. 제가 클레멘트 법학원에 있을 때 마일엔드 그린에서 있었던 일이 생각나는군요. 그때 저는 아서왕 쇼에서 대고네트 경의 역을 맡았습니다. 거기에 아주 몸집이 작고 민첩한 친구가 있었는데 그자는 자기 총검을 이렇게 다루었는데 이리 찌르고, 저리 찌르곤 했습니다. '따, 따, 따' 쏘기도 하고, '빵' 쏘기도 했습니다. 쏘고는 물러났다 다시 나타나서 또 쏘고는 했습니다. 내 그런 자는 다시 보지 못했습니다. 275 280

폴스타프 이 친구들도 잘할 것이오, 섈로우 판사. 안녕히 계시오, 사일런스 판사. 긴말 하지 않겠습니다. 잘들 계시오, 두 분 다. 두 분 고마웠소. 난 오늘 밤 12마일을 가야 해요. 바돌프, 병사들에게 외투를 주게나. 285

섈로우 존 경, 신의 축복이 있기를 빕니다! 하시는 일이 잘되시길 빌고! 하나님이 우리에게 평화를 주시기 빕니다! 돌아가는 길에 저희 집에 들르시어 옛 정을 새로이 나눕시다. 잘 하면 저도 경과 함께 궁정에 갈지도 모르지요. 290

폴스타프 꼭 그렇게 되기를 바라오, 섈로우 판사.

섈로우 그럼요, 두말할 필요도 없지요. 신의 가호가 있기를!

폴스타프 안녕히들 계시오, 신사양반들. [판사들 퇴장] 가자, 바돌프. 저자들을 인솔해라. [바돌프와 징집병들 퇴장] 돌아올 때 이 판사 놈들을 껍데기를 벗겨야지. 주여, 오 주여, 우리 늙은이들은 이런 거짓말이라는 악덕에 빠지기가 얼마나 쉬운지! 이 비쩍 마른 판사 놈은 295

자기가 젊어서 얼마나 난잡하게 놀았는지, 턴불 거리에서 세운
300 공훈에 대해 지껄여댔지만 세 마디 중 한 마디가 다 거짓말이야.
터키 황제에게 공물 바치듯 그따위 거짓말을 또박또박 들어주는
사람 귀에 쏟아 붓더군. 난 저자가 클레멘트 법학원에 있었던 때
를 기억하는데 마치 먹다 남은 치즈 조각으로 만든 인형 같았지.
305 옷을 벗기면 정말 꼭 머리를 칼로 멋지게 조각한 맨드레이크 뿌
리 같았다니까. 그렇게 체격이 빈약해서 눈이 나쁜 사람에게는
뵈지도 않았지. 그자는 굶주림의 화신이었지만 원숭이처럼 호색
적이어서 창녀들이 그를 맨드레이크[69]라고 부르곤 했지. 그는 유
310 행에 뒤처져서 마차꾼들의 휘파람 소리에서 주워들은 곡들을 닳
고 닳은 창녀들에게 불러주며 그 노래들이 자기가 만든 사랑의
연가나 소야곡이라고 맹세해댔지. 그렇게 악마의 단검 같던 것이
향사가 되어서, 곤트의 존[70] 공작님을 의형제라도 되는 듯 함부
로 입에 올리곤 하네. 내 장담하건대 아마 그분을 마상창시합장
315 에서 딱 한 번 봤을 거야. 그때 그자는 존 공의 부하들 사이를
뚫고 들어가려다 머리가 터졌지. 내가 그 꼴을 보고 곤트의 존
공작님께 그자는 공작의 이름을 무색하게 하는 자라고 말씀드렸
지. 왜냐하면 그자는 옷을 입은 채로 뱀장어 껍질 속에도 쑤셔
320 넣을 수 있었으니까. 오보에 중에서도 가장 가는 오보에의 통도

69. 맨드레이크의 두 갈래로 갈라진 다리가 사람의 몸을 닮아서 서양에서는 예로부터 정력제와 임신을 가능케 하는 약초로 여겨져 왔다. 그래서 일명 사랑의 열매(love apple)라고도 불린다.

70. 헨리 4세의 아버지이다.

그에게는 대저택이요, 궁궐이었는데 그러던 자가 이제는 땅과 소들을 소유하고 있다니. 돌아올 때는 그자와 친하게 지내며 어떻게 해서든 연금술사의 돌로 삼아야지. 어린 황어가 늙은 창꼬치를 잡는 미끼가 된다면 내가 그자를 덥석 물지 말란 법을 자연에서 찾아볼 수가 없다. 때가 되면 여물게 마련이지. 325 [퇴장]

4막

1장

요크셔, 골트리 숲속[71]

요크 대주교, 모우브레이, 헤이스팅즈 등 등장

대주교 이 숲의 이름이 뭐요?

헤이스팅즈 골트리 숲이라 합니다. 대주교님.

대주교 다들 여기서 멈추고 정찰병을 보내 적군의
수를 알아봅시다.

헤이스팅즈 정찰병은 벌써 보냈습니다.

5 **대주교** 잘하셨소.
이 거사에 동참한 동지 여러분,
노섬벌랜드 백작으로부터 최근에 편지가
왔는데 그 편지의 의도와 취지는
냉담한 것으로 그 내용은 이렇습니다.
10 그분은 자신의 지위에 어울릴만한 병력을
이끌고 몸소 출전하고 싶으시나
그만한 병력을 징집할 수가 없다. 그래서
점점 나아지고 있는 운이 무르익을 때까지
스코틀랜드로 후퇴하기로 한다. 부디 여러분의 거병이

---

71. 요크 지방의 북쪽에 있는 고대 왕족의 숲이다.

적과의 위험하고도 무서운 교전에서 살아남기를 15

진심으로 바란다고 끝맺고 있소.

모우브레이 그렇다면 그분에게 걸었던 희망이 땅에 떨어져

산산조각이 났군요.

사자 등장

헤이스팅즈 무슨 일이냐?

사자 이 숲의 서쪽으로 1마일도 채 떨어지지 않은 곳에

적군이 대오를 갖추어 다가오고 있습니다. 20

그들이 덮고 있는 땅으로 보아

3만 명 정도 되는 것 같았사옵니다.

모우브레이 우리가 예측한 대로군요.

우리도 출격하여 적과 대진합시다.

웨스트멀랜드 등장

대주교 저기 잘 갖춰 입고 우리 앞에 오는 자는 누구요? 25

모우브레이 웨스트멀랜드 경 같습니다.

웨스트멀랜드 저희의 총 사령관이신 랑카스터 공

존 왕자님의 안부인사를 전하는 바입니다.

대주교 편히 계속 말씀하시오, 웨스트멀랜드 경,

무슨 용건으로 오시었소?

웨스트멀랜드 그렇다면, 대주교님 30

특히 대주교님께 제가 전하려는 말의
요점을 말씀드리겠습니다. 만약 이 역모가
역모답게 다혈질의 젊은이가 이끄는
천하고 비열한 자들의 떼거지로, 누더기로
35 단장을 하고 소년이나 거지들의 지지나 받는,
그야말로 역모 본연의 모습대로
형편없어 보이는 역모였다면
고귀한 명예를 지니신 존경하는
대주교님이나 이 고귀한 나리들이
40 이런 천하고 잔인한 역모라는 추악한 모습을 하고
이곳에 모이지는 않으셨을 것입니다. 대주교님,
대주교님의 교구는 공공의 평화에 의해 유지되는 것이옵고
대주교님의 수염은 평화의 은빛 손이 쓰다듬어 왔고
대주교님의 학식과 학문은 평화가 지도한 것이며
45 대주교님의 순백의 법복은 순수함,
비둘기, 그리고 평화의 복된 정신을 상징하옵는데
어이하여 대주교님께서는
그런 은총을 품고 있는 평화의 복음을
거칠고 소란스러운 전쟁의 소리로
50 바꾸시고, 경전을 무덤으로, 잉크를 피로,
펜을 창으로, 신성한 목소리를 전쟁을 알리는
시끄러운 나팔 소리로 바꾸려 하십니까?

대주교 내가 이러는 이유를 묻는 것이로군.

간단히 요점만 말하겠소. 우리는 모두 병이 들었소.
과식과 방탕한 시간을 보내 55
타는듯한 열병에 걸렸소.
그래서 우리는 사혈법[72]으로 그 병을 치유해야 하오.
리처드 선왕께서도 그 병에 감염되어 승하하셨소.
허나, 고결하신 웨스트멀랜드 경,
난 지금 의사를 자처하는 것도 아니요, 60
평화의 적으로서 병사들 무리에 끼어
진군하는 것도 아니오.
그보다는 오히려 잠시 행복에 물린 천한 자들의
마음에 적절한 식이요법으로 전쟁의 공포를 보여주고
우리의 생명의 혈관을 막기 시작한 나쁜 피를 제거하여 65
정화하고자 하는 것이오. 좀 더 쉽게 말하죠.
난 우리의 거병이 불러올 해악과 우리가 겪고 있는
해악을 공정히 재보고는 우리가 겪고 있는 슬픔이
우리가 저지를 폐해보다 더 막중함을 깨달았소.
시대의 흐름을 지켜보고는 70
거친 격랑으로 인해 평온하기
그지없던 삶을 벗어던질 수밖에 없었던 것이오.
때가 되면 우리가 겪은 슬픔의 목록을 정리하여
조목조목 보여줄 것이오만
이를 오래 전에 국왕 폐하에게 제시하고자 했으나 75

72. 병을 치료하기 위해 환자의 피를 뽑는 치료법이다.

아무리 소청해도 들어주려 하지 않으셨소.
우리가 해악을 당해, 우리의 슬픔을 토로하고 싶으나
우리에게 해악을 가한 자들에 의해
국왕을 알현하는 것이 금지되었소.
80 최근 지나간 나날들의 위험스러운
기억이 선명한 피로 대지 위에
기록되어 있고 매 순간마다, 지금 이 순간에도
벌어지는 해악의 실례들이
우리를 이토록 어울리지 않는 무기를 들게끔 했소.
85 우리는 평화를, 일말이라도 깨고자 하는 것이 아니라
오히려 지금 명실상부한 평화를
진정 도모하고자 하는 것이오.

웨스트멀랜드 도대체 언제 대주교님의 호소가 거절당하고,
어떤 면에서 국왕 폐하가 대주교님을 서운하게 했으며
90 어떤 자가 대주교님의 신경을 건드리게 하였기에
이런 잔학무도하게 조작된 역모에
신성한 승인을 하시어
참혹한 모반의 칼날을 신성하게 만드신 겁니까?

대주교 내 온 형제와 만백성,
95 특히 한 집안에 태어난 형제에게 가해진 잔인함이
내가 이렇게 봉기하게 만들었소.

웨스트멀랜드 그런 시정은 필요 없습니다.
필요하다손 치더라도, 대주교님이 하실 일이 아니옵니다.

모우브레이 왜 대주교님이 하실 일이 아니오? 우리가
지난 시절에 입은 상처를 아직도 느끼고 100
우리의 명예에 가해진 가혹하고 불공정한 손길을
겪고 있는 현 상황에서 우리 모두가 할 일이
아니란 말이오?

웨스트멀랜드 아, 모우브레이 경,
현재의 시국을 필연성이란 관점에서 생각해보시오.
그러면 경은 사실 귀하들에게 상처를 준 것이 105
국왕 폐하가 아니라 시국이라고 말해야 할 것이오.
허나 경의 경우는, 제가 보기에
국왕 폐하에게든 현재의 시국에든
한탄할 근거가 조금도 없다고
생각되오. 경은 고명하신 아버지 110
노포크 공작의 영지와 통치권을
다 되찾지 않으셨습니까?

모우브레이 명예에 있어서, 내 부친이 잃으셨는데
다시 살아나 내 안에서 숨 쉬는 것이 무엇이 있소?
그분을 아끼셨던 리처드 왕께서는 당시 상황으로 인해 115
어쩔 수 없이 내 부친을 강제로 추방할 수밖에 없으셨소.
바로 그때 해리 볼링브로크와 내 부친은
둘 다 준마에 높이 올라앉았고
그들의 준마들은 박차를 기다리며 히힝거렸고,
상대를 향해 창을 겨누고, 투구 면갑을 내리고 120

투구의 틈으로 서로 불꽃같은 눈길을 주고받으며
높은 나팔 소리에 응전할 채비를 하고 있었소.
그때, 바로 그때, 내 부친이 볼링브로크의 가슴을
찌르는 것을 막을 것이 아무 것도 없던 그 순간에
125 아, 리처드 왕께서는 당신의 권표를 던지셨소.
자신의 목숨이 달려있는 지휘봉을 던지신 것이오.
그로 인해 당신뿐만 아니라 볼링브로크 하에서
가해진 법 집행과 무력에 의해 희생된
모든 이들의 목숨까지 던지신 것이오.

130 **웨스트멀랜드** 모우브레이 경. 모르는 말씀 마시오.
당시 허버트 공작[73]은 영국에서 가장 용감한
신사로 정평이 나 있었소.
운명의 여신이 누구에게 미소를 지을지 누가 알겠소?
허나 경의 부친이 거기서 승자가 되었다 하더라도
135 살아서 코벤트리[74]를 빠져 나가지는 못하셨을 거요.
왜냐하면 온 백성이, 이구동성으로
경의 부친을 증오하고, 허버트 공작을 찬미하고
축원했기 때문이오. 온 백성이 그분을 사모하여
진정 리처드 왕보다도 그분께 더 은총과 은혜를 기원했소.
140 허나 이런 말들은 내가 이곳에 온 목적에서 벗어나는 바요.
우리의 총사령관이신 존 왕자님이
여러분의 요구를 알고자 나를 보내신 것이오.

---

73. 헨리 4세 해리 볼링브로크는 당시 허버트 공작이었다.
74. 두 사람의 결투가 벌어졌던 장소이다.

왕자님은 여러분의 요구를 경청한 뒤
그것들이 타당한듯싶으면
그 요구를 들어주어 모든 적대관계를 145
청산하고자 한다고 말씀하셨소.

모우브레이 하지만 그분은 우리가 이 제안을 받아들이기를 강요하니
그건 책략에서 비롯된 것이지, 애정에서 비롯된 것이 아니오.

웨스트멀랜드 모우브레이, 그렇게 받아들이다니 오만하군요.
본 제의는 자비심에서 나온 것이지 두려워 제안하는 것이 아니오. 150
보시오. 우리 병력은 코앞에 와 있소.
내 명예를 걸고 장담하건대, 모두 자신감에 차서
일말의 두려움도 허락지 않는 기세요.
우리 측 진지는 경의 진지보다 명장들로 가득하고
병사들은 무기를 다루는 데 더 완벽하며 155
갑옷은 아주 견고하고 대의명분은 더할 나위 없이 정당하니
우리의 마음이 너그러울 수밖에.
그러니 우리의 제안을 강압적이라 말하지 마시오.

모우브레이 어쨌든 우린 어떤 협상도 받아들이지 않을 것이오.

웨스트멀랜드 그건 경들의 수치스러운 역심을 입증할 뿐이오. 160
썩은 상자는 아무리 해도 고쳐 쓸 수 없는 법이죠.

헤이스팅즈 랑카스터 공이 국왕의 권위를 대신하여
우리가 주장하는 조건들을 듣고
전적으로 판단할 수 있는
전권을 위임받았소? 165

웨스트멀랜드 총사령관이란 이름 안에 그런 권한이 담겨있는 바
너무 사소한 질문을 하시는 것으로 사료되오.
대주교 그렇다면 웨스트멀랜드 경, 이 서면에
우리의 불만들이 담겨있으니 이걸 가져가시오.
170 여기에 기록된 조항 하나하나가 시정되고
이 자리에 있든 없든 뜻을 같이 하여
이 거사에 힘을 보탠 우리 측 사람들이
정당한 법적 절차를 통해 사면되고
우리의 요구들이 즉시 이행된다면
175 우리는 본연의 자리로 돌아가
다시 국왕 폐하를 경외하는 입장이 되어
평화를 이룩하는 데 우리의 힘을 보탤 것이오.
웨스트멀랜드 총사령관께 이걸 전하겠습니다. 경들,
양측 병사들이 보는 곳에서 만나
180 평화협정을 맺든지—신이시여 부디 그리되게 하여주소서—
아님 칼로 결말을 내든
결정해야 할 것이오.
대주교 경, 그리하겠소. [웨스트멀랜드 퇴장]
모우브레이 왠지 우리가 요구한 협상의 조건들이
받아들여지지 않을 것 같은 예감이 듭니다.
185 **헤이스팅즈** 그건 걱정 마십시오. 만약 우리가
요구한 많은 확고한 조건들로
평화협정을 맺는다면

우리의 안전은 바위산처럼 든든할 것입니다.

모우브레이 네, 허나 우리에 대한 평가는
사소하고 무고한 이유나, 190
근거 없고 보잘 것 없는 이유로도
왕이 이번 거사를 떠올릴 것이어서
우리의 충심이 국왕을 위해 순교할 정도라 하더라도
우리는 거친 바람에 까불리면 날아가는
왕겨 같은 존재가 되어 195
잘하든 못하든 구별도 되지 않을 것입니다.

대주교 아니오, 아니야. 경, 내 말을 들어보시오. 왕은
까다롭고 골치 아픈 불평불만에 넌더리가 나 있소.
왜냐하면 왕도 이제 의심스러운 자를 죽이고 나면 그 뒤를 이어
더 의심스러운 자가 둘이나 생겨난다는 것을 깨달았기 때문이오. 200
그러니 왕은 비망록을 깨끗이 지우고
자신이 상실한 것을 새로이 되새겨주는
기록이나 증거를 기억에서
멀리하려 할 것이오. 그는 이제 이 땅에서
의심의 잡초를 완전히 제거하는 것이 205
불가능하다는 것을 절실히 깨달았을 것이오.
왕의 적들은 왕의 측근들과 얽히고설키어
적을 뽑아내려고 하면 측근들의
뿌리까지 뽑히고 흔들리게 되는 것이오.
그래서 이 땅은 마치 남편을 화내게 해서 210

매를 부르지만 그가 매질을 하려 하면
그의 아이를 들어 올려 매질을 하려
들어 올린 팔이 매질을 못하도록 하는
아내와 같소이다.

215 **헤이스팅즈** 게다가 왕은 지난 역모에
회초리를 다 써버려서 이제 혼내줄
도구 자체가 부족한 실정이오.
그의 병력은 이빨 빠진 사자처럼
덤벼들기는 해도 물고 늘어질 힘이 없소.

대주교 정말이오.

220 그러니 문장원 총재 경, 안심하시오.
우리가 화해협상만 잘 맺는다면
우리의 안전은 접합한 부러진 다리처럼
부러짐으로써 더욱 튼튼해질 것이오.

모우브레이 그러길 바랄 뿐입니다.
웨스트멀랜드 경이 다시 오는군요.

웨스트멀랜드 재등장

225 **웨스트멀랜드** 왕자님이 곧 납실 겁니다. 양측의
딱 중간지점에서 왕자님을 맞아주십시오.

모우브레이 요크 대주교님, 그럼 신의 이름으로 출발하시지요.

대주교 앞장서십시오! 가서 왕자님을 맞으시오—자, 가시지요. [퇴장]

2장

요크셔, 골트리 숲의 다른 부분

한쪽에서 랑카스터 공 존 왕자, 웨스트멀랜드, 병사들 등 등장하고 다른 쪽에서 시종을 거느린 모우브레이와 그 뒤로 요크 대주교, 헤이스팅즈 등 등장

랑카스터 잘 만났소, 모우브레이 경.
안녕하십니까, 대주교님.
안녕하시오, 헤이스팅즈 경과 그대들 모두.
요크의 대주교님, 주교님께는 그렇게 갑옷을 입고
북소리로 역모자들의 함성을 북돋우면서 5
성경 말씀 대신 칼을, 삶을 죽음으로 바꾸시는 것보다
교회 종소리에 맞춰 모인 신도들이
성경 말씀을 듣기 위해 경외심을 갖고
주교님 주위에 몰려드는 것이
더 잘 어울리십니다. 10
만약 군주의 가슴에 자리 잡고 앉아
그의 총애라는 햇살로 무르익은 자가
왕의 총애를 남용하면
세상에, 그런 권력의 그늘에 숨어 얼마나 심한 폐해들을
만들어내겠습니까? 대주교님의 경우가 15
바로 그런 것입니다. 대주교님이 하나님의 말씀에

조예가 깊다는 것을 모르는 자 어디 있겠습니까?
우리들에게 주교님은 하나님 의회의 연사이시고
하나님의 목소리 그 자체로 상상되며
20 하늘의 은총과 신성함과
우리 어리석은 인간사 사이의
해석자요 매개자 아니십니까? 아, 대주교님이
마치 그릇된 총신이 군주의 이름을 팔고
불명예스러운 짓을 하듯이 그 존엄한 지위를 남용하고
25 하늘의 은총과 자비를 이용하지 않았다고
누군들 믿겠습니까? 대주교님은 신에 대한 열정을 빙자하여
신의 대리인이신 제 부친의 신민들이
떼로 모여 봉기하게 부추겨서
하늘과 국왕의 평화를 깨뜨리셨습니다.

대주교 왕자님,

30 전 부왕 마마의 평화를 깨려고 이 자리에 선 게 아닙니다.
웨스트멀랜드 경에게 말했듯이
그리고 누구나 다 알다시피 어수선한 시국 때문에
저희 자신의 안전을 지키기 위해 이렇게
좋지 못한 모습으로 궐기할 수밖에 없었습니다. 전
35 국왕 폐하께 우리의 불만을 담은
서한을 보냈으나 그 서한은
궁정으로부터 비웃음만 사고 거절당했습니다.
그로 인해 전쟁이라는 히드라 같은 괴물이 탄생한 것입니다.
히드라의 위험한 눈들은 우리의 지극히 정당한 요구사항들이

수용되면 저절로 최면에 걸려 잠이 들 것입니다. 40
그리고 우리의 분노만 치유된다면 진정 국왕 폐하의 발아래
유순하게 복종할 것입니다.

모우브레이 만약 그리되지 않는다면, 최후의 한 사람까지
우리의 운명을 시험해볼 각오가 되어 있습니다.

헤이스팅즈 그리고 비록 우리가 여기서 쓰러져도
우리의 시도를 지원해줄 원군이 있습니다. 45
그들이 실패하더라도, 그들의 원군이 그들을 지원해줄 것입니다.
그렇게 전쟁은 또 다른 전쟁을 부르고
영국의 세대가 이어지는 한
대대손손 이 내란은 계속될 것입니다.

랑카스터 그댄 너무 가볍구려, 헤이스팅즈, 너무 가벼워. 50
알 수 없는 앞날의 일까지 들먹이다니.

웨스트멀랜드 왕자님 저들의 요구사항들을 어디까지 들어주실는지
직접 말씀해주십시오.

랑카스터 모두 다 맘에 드니, 다 들어주겠소.
내 혈통의 명예를 걸고 맹세하는데 55
국왕 폐하의 의중이 지금까지 잘못 전달되었소.
부친의 측근 중 누군가가 그분의 의도와 권위를
심히 왜곡시킨 것이오.
대주교님, 이 불만사항들은 신속히 시정하겠습니다.
내 영혼을 걸고 맹세합니다. 저의 뜻을 수용하신다면 60
병사들을 해산하여 각자의 고향으로 돌아가게 하십시오.
우리도 그리하겠습니다. 그리고 양측 병사들이 보는 가운데

다정하게 축배를 마시며 포옹하도록 합시다.
병사들이 우리의 사랑과 화친이 회복되었음을
65 두 눈으로 똑똑히 보고 집으로 돌아갈 수 있도록.

대주교 저희 불만사항을 시정한다는 왕자님의 말씀을 받아들이겠습니다.

랑카스터 약속을 했으니 내 말을 지킬 것입니다.
그러니 대주교님을 위해 건배를 합시다.

헤이스팅즈 장군, 어서 가서 병사들에게 이 화친의 소식을
70 전하라. 그들에게 급료를 지불하고 해산시켜라.
모두들 아주 기뻐할 것이다. 자 어서 서둘러라. [장병 퇴장]

대주교 웨스트멀랜드 경, 경을 위해 건배!

웨스트멀랜드 대주교님을 위해 건배! 오늘의 이 화친을
낳기 위해 제가 얼마나 애썼는지 아신다면
75 맘껏 축배를 드실 겁니다. 허나 대주교님을 향한 저의 애정은
앞으로 저절로 아시게 될 것입니다.

대주교 믿어 의심치 않소이다.

웨스트멀랜드 그리 말씀해주시니 기쁩니다.
모우브레이 경, 경의 건강을 위해서도 건배!

모우브레이 시기적절하게 내 건강을 빌어주셨소.
80 왜냐하면 난 갑자기 뭔가 편치가 않아서요.

대주교 나쁜 일이 일어나기 전에 사람들은 어느 때보다 즐겁고,
좋은 일이 일어나기 전에 마음이 무거운 법이오.

웨스트멀랜드 그러니 기뻐하시오, 경. 갑작스러운 슬픔은
"내일은 뭔가 좋은 일이 생기리라."는 뜻일 테니까요.

85 **대주교** 내 말을 믿어요. 난 아주 마음이 가벼우니.

모우브레이 그건 그만큼 나쁜 징조네요, 대주교님 말씀대로라면.

[밖에서 함성소리]

랑카스터 화친의 소식이 전해졌나 봅니다. 들어보세요, 저 함성소리를!

모우브레이 승리 후 외치는 소리였어야 했건만.

대주교 화친은 본질적으로 승리와 같소.

왜냐하면 양쪽이 고귀하게 무기를 버렸지만 90

어느 쪽도 패자가 아니지 않소.

랑카스터 자, 경,

가서 우리 군대도 해산시키시오. [웨스트멀랜드 퇴장]

그리고, 대주교님, 양측 병사들이 우리 곁을

지나가게 해주십시오. 서로 대적할 뻔한

사람들을 잘 볼 수 있도록.

대주교 헤이스팅즈 경, 가시오. 95

그리고 해산하기 전에 이곳을 행진토록 하시오. [헤이스팅즈 퇴장]

랑카스터 경들, 오늘 밤은 함께 보내도록 합시다.

웨스트멀랜드 재등장

그런데 경, 우리 병사들이 왜 그대로 서 있소?

웨스트멀랜드 왕자님으로부터 정지 명령을 받았기에

왕자님의 명령 없이는 움직이지 않겠다 하옵니다. 100

랑카스터 군인의 의무를 잘 알고들 있구나.

헤이스팅즈 재등장

헤이스팅즈 대주교 나리, 우리 군대는 해산했습니다.
멍에를 벗은 송아지처럼 동으로, 서로, 북으로, 남으로
각자의 길을 갔습니다. 마치 학교가 파한 뒤
105 각자 집이나 놀이터로 서둘러 가듯이.
웨스트멀랜드 반가운 소식이구나, 헤이스팅즈. 그렇다면
그대를 대역죄로 체포한다.
대주교 나리, 그리고 모우브레이 경
두 분도 대역죄로 체포합니다.
110 **모우브레이** 이것이 정당하고 명예로운 짓이오?
웨스트멀랜드 그대들의 거병은 어떻고요?
대주교 그렇게 언약을 깨뜨리는 겁니까?
랑카스터 난 아무것도 서약하지 않았소.
난 그대들에게 그대들이 불평한 고충을 시정하겠다고
약속했을 뿐이오. 그것들은 내 명예를 걸고
115 기독교도답게 수행할 것이오.
허나, 그대 역적들에 대해서는 역모자에 합당하고
그대들의 역적 행위에 합당한 본때를 보여줄 것이오.
그대들은 너무 경솔하게 거병을 하였고,
어리석게 여기까지 오고, 군대를 해산시켰소.
120 군고를 울려, 흩어진 적군을 추격하라.
오늘 이 승리를 거둔 것은 우리가 잘해서가 아니라
신의 은총 덕이다. 이 역적들을 반역죄에 어울리는 침상이요
마지막 숨을 거두는 단두대로 끌고 가라. [퇴장]

3장

요크셔, 골트리 숲의 다른 부분

나팔소리. 출격 소리. 폴스타프와 콜빌 등장하여 만난다.

폴스타프 이름이 뭐냐? 신분은 무엇이고 어디 출신이냐?

콜빌 난 기사이고 이름은 데일의 콜빌이다.

폴스타프 그렇다면 이름은 콜빌이고 지위는 기사이며 사는 곳은 데일이란 말이군. 네 이름은 앞으로도 콜빌일 테지만 이제부터 네 지위는 반역자요. 사는 곳은 지하감옥이다. 아주 깊숙한 지하감옥. 그러니 넌 여전히 데일[75]의 콜빌이다. 5

콜빌 당신은 혹시 존 폴스타프 경이 아니오? 10

폴스타프 내가 누구이건 그자 못지않게 훌륭한 사람이다. 항복할 테냐, 아님 내가 그대 때문에 땀을 흘려야겠느냐? 만약 내가 땀을 흘린다면 그 땀방울 하나하나는 그대가 사랑하는 자들의 땀방울이요, 그대의 죽음을 애도하여 흘리는 것이다. 그러니 공포심을 불러일으켜서 벌벌 떨며 자비를 빌어라. 15

콜빌 [무릎을 꿇으며] 당신은 존 폴스타프 경 같으니 항복하겠소.

폴스타프 내 이 뱃속에는 수많은 혓바닥이 들어있는데 그중 단 한 혓바닥도 내 이름 외에 어떤 말도 하지 않는다. 내가 다른 이들과

---

75. 콜빌의 고향인 데일(Dale)이란 단어는 깊은 골짜기란 뜻이다. 폴스타프는 이 단어의 뜻으로 말장난을 하고 있다.

20 다름없는 배를 가지고 있다면 난 유럽 천지에서 가장 원기 왕성 했을 것이다. 이놈의 배, 배, 배가 날 망쳤다. 저기 우리 편 총 사령관이 오시는군.

퇴각 신호. 랑카스터 공 존 왕자와 웨스트멀랜드, 블런트 등 등장

랑카스터 전쟁의 열기도 지나갔으니 더 이상 추격하지 마시오.
25 병사들을 불러모으시오, 웨스트멀랜드. [웨스트멀랜드 퇴장]
폴스타프, 그동안 그대는 내내 어디 있었는가?
다 끝나고 나니 나타나는군.
그렇게 굼벵이 수법을 쓰다간 맹세코
언젠가 교수대의 기둥을 부러뜨리게 될 게다.[76]

30 **폴스타프** 그렇게 되지 않는다면, 전하, 소인도 송구할 것이옵니다. 소인은 비난과 질책이 용맹함에 대한 보상이라는 것을 잘 알고 있사옵니다. 전하께서는 저를 제비나, 화살이나, 총알쯤으로 생각하십니까? 이 늙고 쇠약한 몸을 생각처럼 빨리 움직일 수 있겠습니까? 소인은 가능한 한 최대의 속도로 여기 온 것입니다. 무려 35 180여 마리의 말을 절름발이로 만들며 달려왔습니다. 그리고 소인 비록 여독으로 지쳤지만 순수한 용기를 발휘하여 가장 사나운 기사이자 용맹한 적인 데일의 존 콜빌 경을 체포하였사옵니다. 허나 그게 뭐 대단하겠습니까? 그자는 소인을 보자 바로 항복하 40 였으니 그걸 소인은 저 로마의 매부리코 장수처럼 세 단어로 '왔

---

76. 교수형에 처해질 것이고 몸이 무거워 교수대 기둥이 부러질 것이라는 뜻이다.

노라, 보았노라, 이겼노라'라고 말하면 딱이옵니다.[77]

랑카스터 그건 자네의 무공이라기보다 저자의 기사도 덕이지.

폴스타프 그건 소인도 모르겠사오나 여기 그자가 있사오니 양도하는 바입니다. 부디 이 일도 오늘의 다른 공적들과 함께 기록하여 주시옵소서. 만약 그리 아니하여 주시면 소인은 그것을 특별히 노래로 지어서 그 위에 소인의 모습과 콜빌이 소인의 발에 키스하는 모습을 그려놓겠습니다. 본의 아니게 그렇게 해야 한다면 여러분들은 모두 저에 비해 도금한 2펜스 동전처럼 보일 것이며 저는 명성이라는 창공에서 마치 보름달에 비해 하늘의 별들이 못대가리처럼 보잘 것 없이 보이듯 여러분보다 한층 밝게 빛날 것이옵니다. 그러니 소인을 정당하게 대우해주시어 마땅한 자리로 올려주시옵소서. 45 50

랑카스터 자넨 너무 무거워 올려갈 수 없네. 55

폴스타프 그럼 빛나게라도 해주십시오.

랑카스터 자넨 너무 둔탁해서 빛날 수도 없네.

폴스타프 아무튼 제게 득이 되는 무엇이든지 해주십시오. 그걸 뭐라 부르시든.

랑카스터 그대 이름이 콜빌인가?

콜빌 그렇사옵니다. 전하. 60

랑카스터 소문이 자자한 반역자구나, 콜빌.

---

77. 매부리코 장수란 줄리어스 시저를 가리키는 것이고 '왔노라, 보았노라, 이겼노라'라는 말은 시저가 소아시아 젤라에서 미트리다테스 대왕의 아들 파르나케스를 격파하고 원로원에서 한 연설의 한 대목이다.

폴스타프 그리고 소문이 자자한 충신이 그를 체포한 것입니다.

콜빌 그렇긴 하오나, 전하 저를 이 지경으로 만든 것은

저의 상관들이옵니다. 그들이 소인의 말을 들었더라면

65 전하는 훨씬 더 대가를 치르고 승리하셨을 겁니다.

폴스타프 그자들이 스스로를 어떻게 팔아넘겼는지는 모르지만 자네도 친절하게 자신을 거저 내주지 않았나. 내가 거저 자네를 체포하게 해주어서 고맙네.

웨스트멀랜드 재등장

랑카스터 이제 추격을 멈추었소?

70 **웨스트멀랜드** 병력은 철수했고 처형은 멈추었습니다.

랑카스터 콜빌을 그의 공범들과 함께

요크로 보내 당장 형을 집행하시오.

블런트, 그대가 그를 잘 호송하시오.

[블런트 등 콜빌을 호위하며 퇴장]

자, 이제 우리는 궁정으로 갑시다.

75 국왕 폐하가 몹시 위중하다 들었소.

전쟁 소식을 국왕 폐하께 먼저 전해야겠으니

경이 그 소식을 전해 폐하를 위로하시오.

우린 천천히 뒤따라가겠소.

폴스타프 전하, 소인은 글로스터셔를 거쳐

80 돌아가도록 허락해주십시오. 그리고 궁정에 도착하시면

소인에 대해 잘 보고해주십시오.

랑카스터 잘 가게, 폴스타프. 가능하면
그대에 대해서는 공적보다 좋게 보고하겠네.

[폴스타프 제외하고 모두 퇴장]

폴스타프 그대는 기지만 있었다면 공작보다 더 훌륭한 자리에 올랐을 텐데. 정말 이 쌀쌀맞은 애송이는 날 좋아하지도 않거니와 웬만한 사람이 웃게 만들 수도 없단 말이야. 하긴 뭐 놀랄 것도 없지. 저자는 술을 입에도 안 대니. 저렇게 점잔빼는 치들이 잘 되는 경우는 절대 없지. 왜냐하면 싱거운 음료들은 피를 너무 차게 하고, 생선요리만 먹다보면 일종의 위황병[78]에 걸려 결혼하면 딸만 낳거든. 그런 자들은 대체로 어리석고 겁도 많은데 우리들 중에도 술을 마셔 흥분하지 않으면 그런 자들이 있지. 좋은 셰리주[79]는 두 가지 효능을 가지고 있지. 그 술은 뇌로 올라가 뇌를 둘러싸고 있는 모든 어리석고, 미련하고, 응어리진 수증기를 건조시켜서, 뇌가 이해력이 좋고 빨리 돌아가고, 창조적이고, 눈치가 빠르고, 열정적이고, 유쾌하게 만들어주어 거기서 태어나는 혀에 목소리를 부여하면 대단히 기지에 넘치게 되지. 훌륭한 셰리주의 두 번째 효능은 우리의 피를 덥혀주는 거지. 술을 마시기 전에는 싸늘하게 굳어서 간을 창백하게 만드는데 그게 바로 소심함과 두려움의 표식이지. 그러나 셰리주가 피를 덥혀주면 피가 신체 내부에서부터 각 부위의 말단까지 돌게 해주지. 그 술은 마치 봉화처럼 얼굴을 빛나게 해서 인간이라는 소왕국의 나머지 모든 부분들에게

78. 철분 결핍에 의한 빈혈증을 뜻한다.
79. 스페인 전통주이다.

경고를 보내 무장하게 해주지. 그러면 생기 넘치는 평민들과 국내의 사소한 정기들이 모두 그들의 대장격인 심장으로 모이지. 이들
110 수행원들로 막강해지고 한껏 부푼 심장은 용감한 행동을 하게 되지. 이런 용맹이 셰리주에서 나온 거야. 그러니 아무리 무술이 뛰어나도 그걸 발휘하게 하는 것은 술이니 술 없이는 아무 소용없고, 학문도 술기운으로 제 역할을 발휘해 소용 있게 할 때까지는
115 악마가 지키는 황금 창고에 불과하지. 해리 왕자가 용감한 것도 다 술 때문이지. 왜냐하면 왕자는 부친에게서 태생적으로 물려받은 차가운 피 때문에 빈약하고, 메마르고, 황폐한 땅 같았으나 술을 많이 마시려고 무척 애를 쓰고 좋은 셰리주를 많이 마시면서
120 비료를 주고, 쟁기질을 하고 관리하여 그토록 열정적이고 용감하게 되었지. 내게 천 명의 아들이 있다면 그들에게 교육할 제1계명은 싱거운 음료는 절대 마시지 말고 술에 중독되라는 것이지.

바돌프 등장

어찌 됐는가, 바돌프?

125 **바돌프** 군대가 해산되어 제각기 흩어졌습니다.

폴스타프 가게 내버려두게. 난 글로스터셔로 가서 향사 로버트 섈로우 판사를 만나겠네. 내 이미 그자를 주물러놓아 곧 그자와 끝장을
130 볼 것일세. 자, 가세. [퇴장]

4장

웨스트민스터, 예루살렘 실

헨리 4세, 의자에 실려 등장, 클라렌스 공 토마스 왕자,
글로스터 공 험프리 왕자, 워리크 백작, 켄트 백작 등 등장

왕 제군들, 만약 하나님이 우리들의 앞마당에서 피를 흘리는
이 내란을 성공적으로 끝내주신다면
짐은 우리의 젊은 병사들을 좀 더 고귀한 전쟁터로 이끌고 나가
성전(聖戰)이 아니면 절대 칼을 뽑지 않을 것이오.
우리의 해병은 출항준비를 마쳤고, 병력은 소집되었고 5
짐의 부재 시 직권대행자도 잘 정해놓아서
모든 것이 짐의 뜻대로 준비되었소.
다만 짐이 다소 원기가 부족하고
현재 발발 중인 반란군 세력이 완전히 제압될
때까지 잠시 출정을 미루고 있소. 10

워리크 두 가지 모두 폐하의 뜻대로 되리라
믿어 의심치 않사옵니다.

왕 나의 아들 글로스터 공, 험프리.
형 해리 왕자는 어디 있느냐?

글로스터 윈저로 사냥을 간듯하옵니다, 폐하.

왕 누구와 함께 갔느냐?

15 글로스터 소인은 모르겠습니다, 폐하.

왕 클라렌스 공 토마스와 함께 간 게 아니더냐?

글로스터 아니옵니다, 폐하. 클라렌스 공은 지금 이 자리에 있사옵니다.

클라렌스 부왕 폐하, 소자에게 무슨 분부라도 있으십니까?

왕 잘 지내길 바랄 뿐이다, 클라렌스 공 토마스.

20 그런데 넌 어찌하여 해리 왕자와 함께 가지 않았더냐?

해리 왕자는 널 총애하는데 넌 형에게 소홀하구나, 토마스.

해리는 다른 어떤 형제보다 널 각별히

여기니, 그 점을 잊지 말고

내가 죽은 다음에 왕이 될 해리와

25 다른 형제들 사이를 중재하는

막중한 역할을 해야 할 것이니라.

그러니 그를 소홀히 대하지 말고, 그의 애정을 무심히 여기지 말고

그의 뜻에 냉담하고 무관심한 모습을 보여

그의 총애를 잃지 않도록 하라.

30 왜냐하면 그는 아주 관대하여 잘 관찰해보면

동정의 눈물을 흘리고 눈을 녹이는 햇살처럼

자비의 손길을 내밀기도 한다.

허나 한번 화가 나면 부싯돌처럼 타올라

한겨울처럼 냉정해지고

35 새벽녘의 돌풍처럼 얼어붙는다.

그러니 그의 기분을 잘 관찰해야 하느니라.

잘못하는 것이 있으면 간언하되 정중하게 해야 하며
그것도 기분이 좋을 때를 가려서 해야 한다.
허나 기분이 좋지 않을 때는 그의 격정이
육지에 올라온 고래처럼 혼자 날뛰다 지칠 때까지 40
시간적 여유를 주거라. 이 점을 잘 명심하면, 토마스
넌 친구들을 지키는 방벽이 될 것이며
형제들을 결합시켜주는 황금 고리가 되어
혈육으로 맺어진 술잔에
이간질이라는 독을 붓는다 해도 45
—살다보면 꼭 그런 일이 있게 마련이지만
절대 새지 않을 것이다. 그 독이 극약이나
강력한 폭약 같은 효능을 가졌다 하더라도 말이다.

클라렌스 정성과 애정을 다해 극진히 모시겠습니다.

왕 왜 그와 함께 윈저에 가지 않았느냐, 토마스? 50

클라렌스 형님은 오늘 윈저에 가신 것이 아니라 런던에서 정찬 중이십니다.

왕 누구랑 말이냐? 알고 있느냐?

클라렌스 포인즈와 늘 같이 다니는 추종자들과 함께 계십니다.

왕 가장 비옥한 땅에 잡초가 자라기 쉬운 법.
젊은 시절 내 모습 그대로인 그의 곁에 55
잡초 투성이니 죽어서도 내 슬픔은 계속되리라.
내가 죽어 조상님들과 함께 잠들어 있을 때
너희가 보게 될
무질서한 날들과 썩어빠진 시대를

60 머릿속에 상상하면
내 마음에 피눈물이 난다.
그의 고집 센 방종을 막을 자 없고
거칠게 끓어오르는 피가 그의 상담역이 되고
방종한 태도와 그걸 발휘할 수 있는 권력이 서로 손을 잡았을 때
65 아, 그의 욕망은 날개를 달고 그의 앞을 가로막는
위험과 몰락을 향해 날아오르지 않겠는가!

워리크 폐하, 세자 전하에 대한 걱정이 지나치시옵니다.
세자 전하께서는 마치 낯선 언어를 배우듯 측근들에 대해
공부하고 계실 뿐입니다. 외국어를 배우기 위해서는
70 가장 점잖지 못한 단어들도 찾아보고
배울 필요가 있습니다. 하지만 일단 익힌 다음에는
폐하도 아시다시피 알고만 있을 뿐 더는
사용하지 않고 혐오하게 되옵니다. 그런 상스러운 말처럼
세자 전하도 때가 되면
75 그런 무리들을 내치시고 그들에 대한 기억은
전하가 다른 사람들의 삶을 측정하는
기준이나 척도로 남아있어
과거의 악행이 이점으로 변할 것이옵니다.

왕 허나 썩은 고기에 집을 지은 벌들은 좀처럼 그걸
떠나지 않는 법이오.

웨스트멀랜드 등장

저게 누군가? 웨스트멀랜드 경이 아니오? 80

웨스트멀랜드 폐하의 만수무강을 비오며 아울러
기쁜 소식을 전하는 바이옵니다.
랑카스터 공 존 왕자님께서 폐하의 손에 입을 맞추고 전합니다.
모우브레이, 스크루 대주교, 헤이스팅즈 일당은 모두
법의 심판을 받게 되었사옵니다. 85
이제 더 이상 칼집에서 뽑힌 반란자의 칼은 없사옵고
평화의 신은 사방에서 올리브 나무[80]를 싹틔우고 있습니다.
그 과정에 대해서는 여기 조목조목
기록되어 있사오니 여유로우실 때
읽어보시기 바라옵니다. 90

왕 아, 웨스트멀랜드 경, 그대는 겨울의 등 뒤에서
날이 밝아오는 것을 노래하는
여름의 새구려.

하코트 등장

보시오 또다른 소식이 왔소.

하코트 적들로부터 폐하를 보호하소서.
그리고 폐하께 반역을 꾀한 자들은 제가 아뢰고자 하는 95
자들처럼 몰락하게 하소서.
영국과 스코틀랜드의 막강한 병력을 거느리고 있던

80. 올리브 나무는 평화의 상징이다.

노섬벌랜드 백작과 바돌프 경이
요크셔의 주장관에 의해 격퇴되었사옵니다.
100 그 전투의 양상과 경과에 대해서는
이 서면에 자세히 기록되어 있사옵니다, 폐하.

왕 그런데 왜 이런 기쁜 소식들을 듣고 내 몸이 좋지 않단 말인가?
행운의 여신은 양손에 행운을 가득 들고 오는 것이 아니라
아름다운 단어들을 추한 필체로 쓴단 말인가?
105 행운의 여신은 식욕은 주되 음식은 주지 않지.
가난한 자들에게 그렇지 않은가. 또는 진수성찬은
주되 식욕은 앗아가 버리든가. 부자들이 그렇지 않은가.
그들은 풍요롭긴 하나 그걸 즐기지 못하지.
짐은 이 기쁜 소식에 기뻐해야 마땅하나
110 눈앞이 안보이고 머리가 빙빙 도는구나.
오 나를! 가까이 오너라, 내 몸이 몹시 편치 않다.

글로스터 심기를 편히 가지십시오, 폐하.

클라렌스 아, 부왕 폐하!

웨스트멀랜드 폐하, 기운을 내시고, 정신 차리시옵소서.

워리크 침착하십시오, 왕자님들. 아시다시피 폐하는
115 종종 이런 발작 증세를 보이셨습니다.
조금들 물러나시어 바람을 쐬시게 하면 곧 회복되실 겁니다.

클라렌스 아니오, 폐하께서는 이런 고통을 오래 견디지 못하십니다.
끝없는 근심 걱정이 생명을 담고 있어야 할
벽을 빈약하게 만들어 생명이 그 벽을 내다보고

뚫고 나오려 합니다. 120

글로스터 사람들이 한 말이 걱정됩니다. 그들은

애비 없는 새끼나 기형의 새끼들이 태어난 것을 보았다 하였습니다.

계절들도 제멋대로여서 몇 달 동안 잠자는 달이

있는가 하면 건너뛴 절기도 있습니다.

클라렌스 강이 세 번이나 범람했고 그 사이에 물이 빠져나가지 않았습니다. 125

과거 일들을 기억하고 있는 노인들은

위대하신 에드워드 왕[81]이 병환으로 돌아가시기 전에

한동안 그랬다 합니다.

워리크 왕자님들, 목소리를 낮추십시오. 폐하께서 의식을 찾으셨습니다.

글로스터 이번 발작으로 꼭 돌아가실 것 같습니다. 130

왕 날 다른 방으로 옮겨다오.

살살들 하거라.

[워리크와 웨스트멀랜드가 왕을 들고 나가고 왕자들 뒤따른다.]

---

81. 에드워드 3세를 가리킨다.

5장

웨스트민스터, 궁정의 다른 방

왕, 침대에 누워있다. 클라렌스, 글로스터, 워리크 등이 왕의 시중을 들고 있다.

왕 아무 소리도 내지 말아다오, 제군들.
나의 지친 영혼에 조용히
연주해줄 음악 소리를 빼고는.

워리크 다른 방에서 음악을 연주하게 하라.

5 **왕** 내 왕관을 베개 위에 놓겠다.

클라렌스 폐하의 눈이 푹 꺼지셨습니다. 너무 변하셨어요.

워리크 목소리를 낮추세요, 목소리를!

헨리 왕자 등장

왕자 누구 클라렌스 공 못 보았느냐?

클라렌스 여기 있습니다, 형님. 수심에 가득 차서.

왕자 무슨 일이냐, 밖은 쾌청한데 여긴 비가 내리니?

10 폐하는 좀 어떠시냐?

글로스터 몹시 위중하십니다.

왕자 전쟁터에서 온 기쁜 소식은 들으셨더냐?
그걸 말씀드리거라.

글로스터 그 소식을 듣고는 더 위독해지셨습니다.

왕자 기뻐 병이 나신 거라면 약을 드시지 않아도 쾌차하실 게다.

워리크 왕자님들, 조용히 해주십시오. 세자 전하, 목소리를 낮추어주십시오. 15
국왕 폐하께서는 잠이 드셨습니다.

클라렌스 우리 다른 방으로 물러가 있읍시다.

워리크 세자 전하도 저희와 함께 물러가시겠습니까?

왕자 아니오. 난 여기 앉아 폐하를 보살피겠소.

[헨리 왕자 빼고 모두 퇴장]

잠자리 친구로는 문제가 많은 왕관이 20
왜 아버님의 베개 위에 놓여있는가?
아, 번쩍이는 불안 거리여! 황금으로 된 근심 덩어리여!
잠이 드나드는 문을 활짝 열어놓아
많은 날을 잠 못 이루게 하는 것을 곁에 두고 주무시다니.
하지만 이마에 투박한 잠자리 모자를 쓰고 25
밤새 코를 골며 자는 자들에 비해서는 곤하게 주무시지도,
그 절반도 깊게 주무시지도 못하지. 아, 왕권이여!
넌 널 지닌 주인에게 고통을 주면서 그의 머리 위에 얹혀 있다.
마치 몸을 보호해주기는 하지만
낮의 땡볕 속에 더워 죽게 만드는 갑옷같이. 30
폐하의 숨이 드나드는 문들에
솜털 같은 깃털이 놓여있으나 움직이질 않는구나.
폐하가 숨을 쉬신다면 가벼워 무게가 나가지 않으니
움직일 텐데. 국왕 폐하! 아바마마!

35 진정 깊은 잠에 드셨구나. 이는 이 황금관과 수많은 영국 왕들을
갈라놓았던 바로 그 잠이다. 제가 폐하께
마땅히 바쳐야 하는 것은 눈물과 피를 말리는 깊은 슬픔이옵니다.
그런 천륜의 정과, 사랑과 효심을
아, 사랑하는 아바마마! 아낌없이 바칩니다.
40 아버님이 제게 남겨주실 것은 이 왕관이옵니다.
이 왕관은 지위나 혈통으로 볼 때 가장 가까운
소자가 물려받겠습니다. [왕관을 머리에 쓰면서]
제 머리에 얹힌 왕관을 보십시오.
하나님이 이 왕관을 지켜주실 테니 온 세상의 힘이
거대한 한 팔에 다 모이더라도 정통 왕권의 명예를
45 제게서 앗아가지 못할 것입니다. 아바마마께서 제게
넘겨주셨듯이 저도 제 자식에게 넘겨줄 것입니다. [퇴장]

왕 워리크! 글로스터! 클라렌스!

워리크, 글로스터, 클라렌스 등 등장

클라렌스 국왕 폐하께서 부르시는 거 아닙니까?
워리크 폐하, 부르셨습니까? 좀 어떠하신지요?
50 **왕** 왜 나만 혼자 두고 다 가버렸느냐?
클라렌스 세자 전하를 남겨 두고 물러갔사옵니다, 폐하.
세자 전하가 아바마마를 지켜보고 계셨습니다.
왕 세자가! 어디 있느냐? 불러오너라.
여기 없었다.

워리크 이 문이 열린 걸 보니 이리 나가신듯하옵니다. 55

글로스터 저희가 대기하고 있던 방으로는 지나가지 않으셨습니다.

왕 내 왕관이 어디 갔느냐? 침대에 두었는데 누가 가져갔느냐?

워리크 저희가 물러갈 때는 여기 있었사옵니다, 폐하.

왕 그럼 세자가 가져갔구나. 가서 세자를 찾아오거라.

짐이 잠든 것을 보고 죽었다고 생각할 정도로 60

그리 급했단 말이냐?

세자를 찾아 와라, 워리크. 혼을 내서라도 이리 데려 오너라.

[워리크 퇴장]

그의 이런 행동이 나의 병과 합세하여

나를 끝장내려 하는구나. 보아라, 아들들아. 너희들은 대체 어찌된

것들이기에 황금왕관을 차지하기 위해서는 65

이리도 쉽사리 천륜의 정이 반역으로 변한단 말이냐!

이러라고 어리석고 걱정 많은 아비들은

이 생각 저 생각 하느라 밤잠을 설치고,

머리는 근심 걱정으로, 뼈는 노동으로 쇠하게 하고,

이러라고 아비들은 이상하게 획득한 70

부도덕한 황금더미를 긁어모으고,

이러라고 자식들에게 예술과 무술을

연마시키기 위해 심사숙고해왔단 말인가.

아비들은 벌처럼 이 꽃 저 꽃에서

양질의 벌꿀을 모아 75

다리에는 밀랍을 잔뜩 묻히고 입에는 꿀을 가지고

집으로 가져와서는 벌처럼
수고한 대가로 살해당한다. 이런 쓰디쓴 맛을
죽어가는 아비들은 재산을 축적한 대가로 맛보게 되는 것이다.

워리크 재등장

80 그래, 병으로 내 운명이 끝날 때까지도 기다리지
못한 그놈은 어디 있느냐?

워리크 폐하, 세자 전하는 옆방에 계셨사온데
부드러운 뺨을 효성이 가득한 눈물로 적시면서
어찌나 깊은 슬픔에 빠져 계시던지
85 피 외에 아무 것도 마신 적이 없는 독재자도
그분을 뵈면 부드러운 눈물로
칼을 닦았을 것이옵니다. 지금 이리로 오시고 계십니다.

왕 그런데 왜 왕관은 가져갔단 말이냐?

헨리 왕자 재등장

저기 오는구나. 이리 오너라, 해리.
90 다들 물러가거라, 우리만 두고. [워리크와 나머지 사람들 모두 퇴장]

왕자 다시는 아바마마의 목소리를 듣지 못할 줄 알았사옵니다.

왕 해리, 네가 그리 원하니 그런 생각이 든 게다.
내가 너무 오래 살아 널 지치게 했구나.
그리도 내 빈 왕좌가 탐나

때가 되기도 전에 내 명예를 네 것으로 95
하고 싶었더냐? 아 어리석고 미숙한 것!
넌 감당하지도 못할 권력을 추구하고 있다.
조금만 기다려라. 내 권위의 구름은
너무 미약한 바람으로 지탱하고 있어
곧 비가 되어 떨어질 테니. 내 날들은 저물고 있다. 100
넌 몇 시간 뒤에는 이름을 더럽히지 않고도 너의 것이
될 것을 훔쳐갔다. 그리고 내 임종의 순간에
넌 내 예상이 정확했음을 입증했다.
네 생활태도를 보면 넌 날 사랑하지 않았음이 분명한데
넌 내가 그걸 확인하고 죽어가게 하려는구나. 105
넌 네 그 냉정한 마음으로 갈아온
수천 개의 단도를 머릿속에 품고 있다가
반 시간밖에 남지 않은 날 찌르는구나.
그래, 반 시간도 기다려주지 못한단 말이냐?
그렇다면 가서 네 손으로 직접 내 무덤을 파고 110
내가 죽어서 울리는 조종이 아니라 네가
왕이 되었음을 알리는 즐거운 종소리를 울리게 하라.
내 영구차에 뿌려야 할 눈물방울들이 모두
너의 머리를 신성하게 해주는 성유 방울이 되게 하고
내 유해는 망각의 흙 속에나 묻어라. 115
너에게 생명을 준 이 아비는 구더기에게 주어버리고
내가 임명한 관리들을 뽑아내고, 내 법령을 파기해라.

이제 격식을 조롱할 때가 도래했으니
헨리 5세가 등극한 것이다! 허영이여, 번영하라!
120 군왕의 권위여, 물렀거라! 그대 현명한 고문들은 모두 물러가라!
그리고 영국 궁정에는 전국 방방곡곡의
무위도식자들만 모여라!
이웃 나라들이여, 그대 나라의 온갖 쓰레기들을 모두 청소하라!
그대들 나라에 욕설을 하고, 술 마시고, 춤추고,
125 밤새 먹고 떠들며, 강도짓하고, 살인하고, 늘 있어왔던 죄악을
최신의 방식으로 저지르는 악한이 있는가?
다행이라 생각하라. 그자는 더 이상 그대를 괴롭히지 않을 테니.
영국이 그자의 삼중 죄를 이중으로 도금하고
그에게 공직, 명예, 권력을 줄 테니.
130 왜냐하면 헨리 5세가 억제되어 있던 악덕으로부터
억압의 재갈을 풀어주어 그 미친개가
죄 없는 사람들을 물어뜯을 테니.
아 내란으로 병든 불쌍한 나의 왕국이여!
내가 그리 신경 써도 너의 방종을 막지 못했는데
135 방종만 일삼게 되면 어찌 되겠는가?
아, 넌 다시 황야 상태로 돌아갈 것이다.
너와 같이 노닐던 늑대들만이 득실거리는.

왕자 [무릎 꿇는다.]
아, 용서하십시오, 폐하! 눈물이 가로막혀
말문이 막히지만 않았다면

폐하께서 슬픔에 사로잡혀 지금까지 말씀하신 것을 140
듣고만 있지 않고 이런 심한 질책을 미연에
방지했을 것이옵니다. 여기 왕관 있사옵니다.
그리고 영원한 왕관을 쓰신 하나님이 폐하의 왕관을
오래도록 지켜주시기 바라옵니다. 소자가 이 왕관을
폐하의 명예나 명성의 상징 이상으로 생각했다면 145
이렇게 무릎을 꿇은 채 다시 일어나지 못하게 하시옵소서.
소자의 가장 내면에 자리한 진실한 충성심이
이렇듯 무릎 꿇어 폐하에 대한 조아림을 표시하게 만든 것입니다.
하늘이 지켜보았듯이 소자가 이 방에 들어왔을 때
폐하께서는 숨을 쉬지 않으셨습니다. 150
소자는 심장이 얼어붙는 듯하였습니다. 이에 거짓이 있다면
아, 소자가 지금 의중에 품고 있는 고귀한 변모를
소자를 믿지 못하는 세상에 보여주지도 못한 채
지금 같은 망나니로 그냥 죽게 하시옵소서.
폐하를 뵈러 왔다가 돌아가셨다고 생각했고, 155
그 생각에 거의 죽을 것 같아
마치 왕관이 감각을 지닌 대상이라도 되는 듯
비난의 말을 퍼부었습니다. '너를 따라다니는 근심 걱정이
아바마마의 육신을 갉아먹었구나.
그러니 너는 최상의 황금이어도 최악의 황금이다. 160
순도에 있어서는 떨어져도 수금(水金)[82]은

82. 액체로 된 황금인 수금은 치료 효과가 좋은 약이라고 여겨졌다.

목숨을 보존하여주니 그것이 더 귀중한 황금이로다.
허나 너는 가장 순수하고, 명예롭고, 명성은 자자하나
널 지닌 자를 잡아먹어 버리는구나.' 이렇듯, 폐하,
165 소자는 왕관을 비난하면서 마치 내 눈앞에서
아버지를 죽인 적과 대적이라도 하는 맘으로
그것을 머리에 썼습니다.
왕관의 진정한 상속자로서 말입니다.
하지만 이 왕관이 소자의 피를 기쁨으로 물들이거나
170 조금이라도 오만한 마음을 불러일으켰다면,
소자 마음의 역심이나 허영심이 조금이라도
이 왕관을 반기는 마음을 갖고
그것이 줄 권력을 즐기려 했다면
신이 영원히 이 왕관을 소자 머리에서 거두시고
175 경외심과 두려움으로 이 왕관 앞에 무릎 꿇을
가장 비천한 신하로 만들게 하소서.

왕 오 나의 아들아,
하나님이 네 마음이 이걸 가져가게 만드셨나 보구나.
그것에 대해 그렇게 지혜롭게 변명하여
180 이 아비의 사랑을 더 받을 수 있도록 하기 위해.
이리 오너라, 해리, 내 침대 곁에 앉거라.
그리고 내 생각에 살아생전 마지막일 것 같은
이 아비의 충고를 듣거라. 아들아,
내가 어떤 우회적인 방법으로 이 왕관을

얻게 되었는지는 신이 잘 아실게다. 또 얼마나 우여곡절 끝에 185
이 왕관이 내 머리에 씌워졌는지는 나 스스로 잘 알고 있다.
네게는 좀 더 평온한 방식으로, 좋은 평을 들으면서,
보다 확고하게 이 왕관을 물려줄 것이다.
이걸 획득했던 과정의 오점은
내가 무덤에 안고 갈 테니 말이다. 내게는 190
이 왕관이 난폭한 손으로 강탈한 명예와 같았다.
그리고 내가 이 왕관을 차지한 것이 자신들의
도움 때문이었다고 주장하는 자들이 많아서
매일 분쟁과 유혈 사태가 끊이지 않아
기대했던 평화를 이루지 못했다. 너도 보았듯이 195
이런 모든 두려움에 나는 위험을 각오하고 맞섰다.
나의 통치 기간은 이 한 주제를 연기하는
한 편의 드라마에 불과했다. 이제 나의 죽음과 함께
분위기가 바뀔 것이다. 내가 부정적인 방법으로 획득한 것이
네게는 좀 더 정당한 것으로 상속될 테니 말이다. 200
그렇게 너는 영예로운 이 왕관을 정당한 상속자로서 쓰는 것이다.
하지만 네가 나보다는 확고한 반석 위에 서게 된다 하더라도
확고부동한 것은 아니다. 불평불만들은 늘 생겨나기 마련이고
네가 측근으로 만들어야 할 지금 나의 측근들은
모두 이제 막 독침이나 이빨을 뽑힌 자들이다. 205
그들의 맹렬한 활약으로 내가 이 자리에 올랐으니
그런 그들의 힘에 의해 다시 밀려날까봐

염려하는 것은 당연지사. 그것을 막기 위해
어떤 이들은 목을 베었고, 상당수는 성전(聖戰)에
210 이끌고 나가고자 했던 것이다.
너무 평화로우면 그들이 내 왕권에 대해
지나치게 관심을 가질 테니 말이다. 그러니, 세자,
경박한 자들은 외국과의 전쟁에 여념이 없게
만들어라. 그곳에서 활약하느라
215 이전 일들에 대한 기억을 잊도록 말이다.
더 말해주고 싶지만 나의 폐가 기력이 다해
더 말할 힘이 없구나.
아, 신이시여, 제가 이 왕관을 획득한 방법을 용서해주십시오.
그리고 이 왕관이 너와는 태평성대를 이루길 기원하마!

220 **왕자** 폐하, 이 왕관은 폐하가 쟁취하여,
머리에 쓰시고, 지키시어, 소자에게 물려주셨사옵니다.
그러니 이 왕관은 소자의 소유가 되는 것은 정당한 일이옵니다.
소자는 온 세상을 상대로 하더라도 혼신의 힘을 다해
이 왕관을 마땅히 지키겠사옵니다.

랑카스터 공 존 왕자, 워리크 등 등장

225 **왕** 저기 랑카스터 공 존 왕자가 오는구나.

랑카스터 아바마마의 건강과, 평화와, 행복을 기원합니다.

왕 나의 아들 존아, 네 덕에 행복과 평화는 누리겠으나
건강은 아쉽게도 재빨리 이 말라비틀어진 몸뚱이로부터

달아나는구나. 너도 보다시피
내가 이 속세에서 해야 할 일을 다 마쳤다. 230
워리크 경은 어디 있느냐?

왕자 워리크 경!

워리크 등 등장

왕 내가 처음 실신했던 그 방에
특별한 이름이 있더냐?

워리크 그 방은 예루살렘이라 하옵니다, 폐하.

왕 주를 찬미할 지어다! 그곳에서 내 생을 마쳐야 한다. 235
오래전에 내가 예루살렘에서 생을 마감하리라는
예언이 있었도다.
난 헛되이 그곳이 성지라 생각했구나.
날 그 방으로 데려다 눕혀다오.
그 예루살렘 실에서 해리는 죽음을 맞이할 것이다. [퇴장] 240

5막

1장

글로스터셔, 섈로우의 집

섈로우, 폴스타프, 바돌프, 시동 등장

섈로우 절대로 말입니다, 나리. 오늘밤엔 못 떠나십니다. 이봐, 데이비!

폴스타프 양해해주시오, 로버트 섈로우 판사.

섈로우 양해해드리지 않을 겁니다. 절대 양보 못합니다. 양해 못해드린
5 다고요. 양해받지 못하실 겁니다. 나리. 제가 양해해드리지 않을
테니까요. 이봐, 데이비!

데이비 등장

데이비 네, 나리.

섈로우 데이비, 데이비, 데이비, 데이비야. 뭣이냐, 데이비. 거시기, 데이
비, 뭐더라—아, 요리사 윌리엄, 그자를 이리 불러오너라. 존 나
10 리, 전 절대 양해해드릴 수 없습니다.

데이비 그런데요, 나리, 그 분부는 따를 수가 없습니다. 그리고 다시 여
쭙겠는데요, 경사지에 밀을 파종할깝쇼?

섈로우 붉은 밀[83]을 뿌려라. 요리사 윌리엄이 없다면 새끼비둘기도 없
15 는 거냐?

---

83. 붉은 밀은 보통 10월에 파종하여 봄에 수확한다.

데이비 있습니다, 나리. 여기 대장장이가 구두 대금과 쟁기 대금을 보냈는뎁쇼.

섈로우 돈 주고 치워버려라. 존 경, 양해해드리지 않겠습니다.

데이비 그리고요, 나리, 양동이에 새 손잡이를 달아야겠는데요. 그리고 며칠 전 힌클리 시장에서 자루를 잃어버렸다고 해서 정말 윌리엄의 급료를 주지 않을 셈이세요? 20

섈로우 그가 물어내야지. 데이비, 윌리엄에게 비둘기 몇 마리랑, 다리 짧은 암탉 두 마리, 양 다리 하나, 그리고 기가 막힌 요리 조금 하라고 하게. 25

데이비 저 용사분이 오늘밤 머무시나요, 나리?

섈로우 그럼, 데이비. 잘 대해줘야 하네. 궁정에 아는 사람 하나 있는 게 지갑에 든 1페니보다 낫거든. 그의 부하들에게도 잘해주게. 데이비, 그자들은 아주 소문난 악당이고 등 뒤에서 씹는 놈들이거든. 30

데이비 그놈들을 등 뒤에서 씹는 거보다는 낫네요, 나리. 말할 수 없을 정도로 더러운 옷들을 입고 있어서요.

섈로우 기발한 생각이구나, 데이비. 자 어서 네 할 일을 해라, 데이비.

데이비 나리, 제발 언덕에 사는 클레멘트 퍼크스와 분쟁 중인 원코트의 윌리엄 비스터를 도와주십시오. 35

섈로우 비스터에 대한 불평들이 많더구나, 데이비. 내가 알기로는 비스터란 자는 순 악당이던데.

데이비 그자가 악당이라는 건 인정합니다, 나리. 하지만 나리, 아무리 악당이라도 그의 친구의 간청으로 도움을 받을 수 있어야 하지 않겠습니까? 나리, 정직한 사람은 자신을 잘 변호할 수 있지만, 나쁜 놈은 그럴 수가 없잖습니까? 전 나리를 8년 동안이나 성실히 40

모셔왔습니다. 만약 제가 한 철에 한두 번 정도 정직한 자들과 분
45 쟁을 하는 악당을 구제해주지 못한다면 판사 나리를 모시는 체면
이 서지 않습니다. 그 악당 놈은 저의 절친입니다, 나리. 그러니
그자를 부디 좀 도와주십시오.

섈로우 됐다, 그자에게 불리한 판결을 하지는 않으마. 네 할 일이나 해
50 라, 데이비. [데이비 퇴장] 존 나리, 어디 계십니까? 자, 자, 어서 신
발을 벗으세요. 악수 한번 합시다, 바돌프 씨.

바돌프 뵙게 되어 기쁩니다.

섈로우 진심으로 감사합니다, 다정하신 바돌프 씨. [시동에게] 어서 오게,
55 꺽다리 친구.[84] 이리 오십시오, 존 나리.

폴스타프 곧 뒤따라가겠습니다. 로버트 섈로우 판사. [섈로우 퇴장] 바돌프,
말들을 살펴보아라. [바돌프와 시동 퇴장] 내 몸뚱이를 톱으로 자르면
60 섈로우 판사 같은 수염 난 은자의 지팡이를 네 다스는 만들 수 있
을 것이다. 저자의 하인 놈들과 저자의 생각이 어찌 저리도 닮았
는지 그저 놀라울 뿐이다. 하인 놈들은 주인을 보고는 지들이 멍
청한 판사처럼 군다. 주인이란 작자는 하인들과 대화를 하고는
65 판사 흉내를 내는 하인이 되고 만다. 서로 어찌나 생각이 잘 통하
는지 마치 기러기 떼처럼 의기투합하여 몰려다닌다. 만약 내가
섈로우 판사에게 부탁할 일이 있으면 나는 그의 하인들에게 그자
가 주인의 신임을 받고 있다는 말로 비위를 맞출 것이다. 또 그의
70 하인들에게 부탁할 일이 있으면, 섈로우 판사에게 그 어떤 이도
그처럼 하인들을 잘 부리지는 못하리라는 말로 그를 요리할 것이
다. 지혜로운 처신도 무식한 행동도 사람들이 병에 걸리듯 서로

---

84. 키가 작은 시동에게 역설적으로 하는 말이다.

전염시키는 게 틀림없다. 그래서 사람들은 친구를 가려 사귀어야
하는 법. 이 섈로우 판사의 이야기를 충분히 이용하여 해리 왕자 75
를 여섯 번의 유행이 바뀌는 동안 끊임없이 웃게 만들어야지. 네
번의 법정 개정 동안 두 개의 소송 기간 동안 그는 쉬지 않고 웃
게 될 거다. 아, 가벼운 맹세를 해가며 거짓을 말하고, 진지한 표
정으로 농담을 하면 어깨 통증을 한 번도 앓아본 적이 없는 친 80
구[85]에게는 효과가 있을 것이다. 아, 왕자의 얼굴이 막 접어둔 젖
은 코트처럼 될 때까지 웃어젖히는 모습을 보게 될 것이다.

섈로우 [안에서] 존 나리!

폴스타프 갑니다, 섈로우 판사. 가요. [퇴장]

---

85. '어깨 통증을 한 번도 앓아본 적이 없는 자'란 젊은이를 비유하는 표현이다.

2장

웨스트민스터, 궁정

워리크와 대법원장 등장하여 만난다.

워리크 안녕하세요, 대법원장님, 어디 가십니까?

대법원장 폐하께서는 어떠십니까?

워리크 아주 평안하십니다. 그분의 모든 근심 걱정이 끝났으니까요.

대법원장 설마 승하하신 건 아니시죠?

워리크 자연의 순리에 따라

5 가셔서 더 이상 살아 계시지 않습니다.

대법원장 나도 함께 데려가셨으면 좋았을 걸.

폐하의 생전에 내가 너무도 충실하게 제 소임을 다해

온갖 해를 입을 지경이 되었소.

워리크 정말 새 왕은 경을 좋아하지는 않는 것 같습니다.

10 **대법원장** 나도 그분이 날 좋아하지 않는다는 걸 아니

새 시대의 환경을 받아들일 마음의 준비가 되어 있습니다.

내가 상상 속에서 그려본 것보다 더 무시무시한

일이 생길 것 같지는 않소이다만.

랑카스터 공 존 왕자, 클라렌스 공 토마스 왕자, 글로스터 공 험프리 왕자와
웨스트멀랜드 등 등장

워리크 저기 돌아가신 해리 왕의 수심에 가득 찬 자손들이 오십니다.
아, 살아계신 해리 왕께서 저 세 분 중 가장 못하신 분의 15
성정이라도 지니셨다면 좋았을걸!
그렇다면 비열한 생각을 지닌 자들에게 굴복해야 할
수많은 귀족들이 자신들의 현 지위를 지킬 수 있을 텐데.

대법원장 오, 하나님, 모든 게 뒤집어질까 두렵소이다.

랑카스터 안녕하시오, 워리크 경. 안녕하십니까. 20

글로스터 · 클라렌스 안녕하세요?

랑카스터 우린 할 말을 잃은 사람들 같구려.

워리크 할 말은 기억하나, 그 주제가 모두
너무 무거워 많은 말을 할 수 없게 만듭니다.

랑카스터 우리 마음을 이토록 무겁게 만드는 분께 평화가 있기를! 25

대법원장 우리 마음이 더 무거워지지 않도록 우리에게도 평화가 있기를!

글로스터 아, 친애하는 경, 경이야말로 진정 친구를 잃으셨습니다.
경의 슬픈 표정은 분명 가장된 것이
아니라 진정한 슬픔일 것입니다.

랑카스터 아무도 어떤 총애를 받을지 확신할 수 없지만 30
경이야말로 가장 기대하기 힘든 상황이오.
참으로 안됐소이다. 그런 일이 없기를 바라긴 하오만.

클라렌스 이제 존 폴스타프 경에게 다정하게 말해야 할 것입니다.
경의 성품과는 안 맞는 사람이기는 하지만.

대법원장 왕자님들, 제가 한 행동은 공정한 35
제 영혼의 지시에 따라 명예롭게 한 것입니다.

그러니 제가 비굴하게 미리 사면을 구걸하는
모습을 보여드리지는 않을 것입니다.
만약 진실과 고귀한 결백으로 제가 파멸된다면
40 전 돌아가신 저의 주군에게 가서 저를 그분 뒤를
따라가게 만든 것이 누구인지를 말씀드릴 것입니다.

워리크 저기 세자 전하가 오십니다.

이제 헨리5세로 등극한 세자, 시종들을 거느리고 등장

대법원장 아침 문안드리옵고 폐하께 신의 가호가 있기를 기원하옵니다.

왕자 왕이란 이 거창한 새 옷이
45 그대들이 생각하는 것처럼 내게 편치는 않소.
형제들이여, 그대들의 슬픔 가운데 두려움이 섞여있구나.
여긴 잉글랜드지 터키 궁정이 아니다.
아무라트[86]를 죽이고 아무라트가 왕권을 이어받은 게 아니라
해리 왕자가 선왕 해리의 왕권을 이어받은 것이다. 하지만
50 슬퍼하거라, 동생들아. 진정 슬픔이 너희들과 잘 어울리니.
너희들이 그리 슬퍼하는 모습은 왕자다워 보이니 나도
엄숙하게 그런 모습을 하고
그 슬픔을 내 마음 깊숙이 새기련다. 그러니 슬퍼하라.
하지만 형제들이여, 그것은 우리 모두에게 지워진
55 공동의 짐, 그 이상은 아니어야 한다.

---

86. 아무라트(혹은 무라트) 3세는 형제들을 죽이고 왕위에 올랐다. 아무라트라는 단어는 투르크 족의 독재에 대한 대명사이다.

난 맹세코 너희들의 아비이자
형이기도 할 것임을 믿기 바란다.
날 사랑하기만 하면 너희 근심 걱정은 내가 짊어질 것이다.
선왕의 죽음엔 눈물을 흘리자, 나도 그럴 것이니.
너희들이 흘리는 눈물들 하나하나가 60
행복한 시간으로 변하도록 이 해리는 살리라.

왕자들 폐하께 더 이상 무얼 바라겠습니까?

왕자 그대들 모두 날 서먹서먹하게 대하는구나. 특히 경은 말이오.
경은 내가 경을 좋아하지 않는다고 확신하는 것 같소.

대법원장 소신은 정당하게 따져본다면 65
폐하께서 소신을 미워할 마땅한 이유가 없다고 확신합니다.

왕자 없다고?
앞으로 국왕이 될 대망을 지닌 왕자가
그대가 내게 했던 그 무례한 행위를 어찌 잊겠는가?
그래, 영국의 세자에게 소리 지르고, 질책하고 70
감히 감옥으로 보내! 이게 가벼운 일이오?
이게 레테[87]의 강에 씻기듯 잊히겠소?

대법원장 당시 소신은 선왕 폐하를 대신하고 있어서
폐하의 대권을 제가 대행하고 있었습니다.
그리고 선왕의 법을 행사하면서 75
제가 국가를 위한 일들로 여념이 없을 때
폐하께서는 제 지위와,
법과 정의를 시행하는 절대권력,

---

87. 속세에서의 일들을 잊게 해주는 지하세계의 망각의 강이다.

제가 대행하고 있는 왕의 대행직을 잊고자 하셨고,
80 바로 재판장에서 소신을 때리셨습니다.
이에 부왕 폐하의 권위에 대한 모욕죄로
소신은 소신에게 주어진 권한을 과감히
폐하께 행사한 것입니다. 만약 그것이 잘못된 행동이라면
이제 왕관을 쓰신 폐하에게
85 폐하의 법령을 무시하고 폐하의 위엄 있는 법정에서
정의를 떼어내려는 아드님이 계시다면 그냥 두시겠습니까?
법의 과정을 방해하고, 폐하의 평화와 안정을
지키는 칼을 둔하게 해도 그냥 두시겠습니까?
아니, 나아가 폐하의 대행자를 경멸하고
90 대행자를 통한 조처를 조롱해도요?
폐하 자신의 생각에 여쭤보십시오. 그게 바로 폐하의 경우입니다.
이제 아버지가 되시어 아드님이 계시다고 상상해보십시오.
폐하의 권위가 몹시 손상당했다는 소리를 듣고
폐하의 가장 위엄 있는 법률이 심히 경시되는 것을 보고
95 폐하 자신이 아드님에 의해 그토록 모욕을 당했다고 상상해보십시오.
그러고는 소신이 폐하의 편이 되어 폐하의 권한으로
아드님을 얌전히 만들었다고 상상해보십시오.
이렇게 냉정히 생각해보시고 제게 판결을 내려주십시오.
이제 왕이 되셨으니 왕으로서
100 소신의 행동 중 어떤 점이 소신의 지위,
인격, 그리고 폐하의 권위에 어긋나는 것이었는지를.

왕자 경의 말이 옳소, 대법원장, 잘 판단하시었소.
그러니 계속해서 저울과 검을 지녀주시오.[88]
그리고 난 경의 명예가 더욱 높아지고
과거의 나처럼 내 아들이 경에게 잘못을 저지른 뒤 105
경에게 복종하는 것을 볼 때까지 사시기를 진정 바라오.
그러면 난 부왕이 하신 말씀을 그대로 할 것이오.
'과인의 아들에게도 감히 정의를 수행하고자 하는
꼿꼿한 양반을 두어 참으로 기쁘오.
또한 왕자의 신분에도 불구하고 정의의 심판에 110
자신을 맡긴 왕자를 둔 것 또한
그에 못지않게 기쁘오.' 경은 나를 투옥시켰었소.
바로 그 점 때문에 난 이전에 경이 지니고 있었던
깨끗한 정의의 검을 다시 경의 손에 쥐여주는 바요.
이를 명심하여 경은 내게 했던 것과 같이 115
대담하고, 정의롭고, 공평무사한 마음으로 그 검을
사용해주기 바라오. 자, 악수를 나눕시다.
나의 미숙함에 아버지가 되어주시오.
난 경이 내 귀에 들려주는 대로 포고를 내릴 것이며
경험 많고 현명한 경의 충고에 120
겸손히 따를 것이오.
그리고 왕자들이여, 부디 날 믿어다오.

---

88. 저울과 검은 정의의 여신이 들고 있는 상징물이다. 이 말은 곧 계속 대법관으로서의 역할을 수행해달라는 뜻이다.

부왕께서는 나의 거친 기질을 무덤에 갖고 들어가셔서
나의 격정들은 모두 그의 무덤 안에 묻혔다.
125 이제 그분의 근엄한 정신을 이어 받아
나의 겉모습만 보고 나에 대해 가졌던
세상 사람들의 기대가 잘못되었음을 보여주고
예언들을 좌절시키고 저속한 스캔들을
지워버리는 삶을 살아갈 것이다. 지금까지는
130 내 몸 속의 피가 허영심에 가득 차 오만하게 흘러넘쳤다.
이제 그 피는 방향을 바꾸어 다시 바다로 밀려갈 것이다.
그곳에서 그 피는 당당한 바닷물과 섞이어
차후에는 국왕의 위엄에 어울리는 물줄기로 흐를 것이다.
이제 짐은 의회를 소집하여
135 우리 국가 체계가 가장 잘 통치되는 나라와
같은 수준이 될 수 있을 만한
훌륭한 고문관들을 선발하겠소.
전쟁이든, 평화든, 아님 동시에 두 가지가
짐에게 친숙한 것이 될 수 있도록
140 짐의 아버지 격인 경이 그 일에 앞장서주시오.
대관식이 끝나고 나면 짐은 앞서도 말했듯이
이 나라의 고관들을 다 소집할 것이오.
하나님이 짐의 선의에 동의해주신다면
그 어떤 왕자나 동지도 해리의 행복한 날을
145 하루라도 단축해달라고 기원할 이유가 없을 것이오! [퇴장]

3장

글로스터셔, 섈로우의 정원

폴스타프, 섈로우, 사일런스, 데이비, 바돌프, 시동 등장

섈로우 아니, 우리 집 정원을 보셔야 합니다. 거기 정자에서 내가 작년에 직접 접붙여 기른 사과를 캐러웨이[89] 요리 등과 같이 드시고―어서요, 사일런스 판사님, 그리고 잠자리에 드시면 됩니다.

폴스타프 정말이지, 판사님은 이곳에서 아주 호화로운 저택에 재산도 상당하시구려. 5

섈로우 초라하죠, 뭐, 초라해요. 이곳 사람들은 다 가난해요, 다들, 존 나리. 그래도 공기는 좋습니다. 식탁보를 깔거라, 데이비, 어서 깔아, 데이비, 그래 잘했다, 데이비.

폴스타프 데이비는 아주 쓸모가 많네요. 하인도 되고, 집사도 되고. 10

섈로우 훌륭한 하인입니다. 훌륭해요. 정말 훌륭한 하인입니다, 존 나리―그런데 전 저녁 식사 때 너무 과음을 했습니다.―네, 좋은 하인입니다. 자 앉으세요, 어서 앉으세요. 어서요, 판사님. 15

사일런스 아, 여봐요! 누군가 이렇게 말했죠. 우리들은

[노래부른다.] 먹기만 하고, 즐겁기만 하니

즐거운 나날 주신 신께 감사하리.

---

89. 후추 맛이 나는 향신료로서 유럽, 지중해, 서아시아, 중앙아시아가 원산지이고 프랑스, 이탈리아 등에서 재배된다. 커리 파우더의 재료로도 쓰인다.

고깃값은 헐한데 계집 값은 비싸니
20 욕정에 겨운 젊은이들 이리저리 떠돌리.
그러니 에야디야.
이제나 저제나 에야디야.

폴스타프 유쾌한 분이시군요, 사일런스 판사님. 그런 의미에서 판사님의 건강을 위해 건배하겠습니다.

25 **섈로우** 바돌프 님께 술 좀 드려라, 데이비.

데이비 나리, 앉으세요. 곧 오겠습니다. 나리, 앉으세요. 시동 양반, 시동 양반도 앉으세요. 어서 드십시오. 고기가 부족하면 술로 때우죠. 부족한 게 있어도 좀 봐주십시오. 마음이 중요한 것 아닙니까.

30 **섈로우** 즐겁게 드세요, 바돌프 씨. 그리고 거기 꼬마 용사도. 즐겁게 들어.

사일런스 [노래부른다.] 노세, 노세, 세상일은 마누라가 다 알아서 하니.
자고로 여자란 키가 크나 키가 작나 다 말괄량이!
수염 난 자들끼리 흔들거리는 잔치에서라도 놀아보세
신나는 슈로브타이드 축제여,[90] 어서 오라! 노세,
35 놀아보세.

폴스타프 사일런스 판사님이 이런 기질을 가진 분이라고는 생각지 못했습니다.

사일런스 누구, 저 말입니까? 전에 한두 번 이렇게 놀아본 적이 있습니다.

---

90. 슈로브타이드 축제는 사순절 직전의 3일간 열리는 카니발이다. 보통 떠들썩하게 흥청망청 즐기고 가면과 화려한 옷을 입고 잠시 동안 다른 사람이 되어 사순절 전에 가능한 한 모든 과잉과 일탈에 빠져본다.

데이비 재등장

데이비 [바돌프에게] 자 여기 나리를 위해 준비한 사과요리 가져왔습니다. 40

섈로우 데이비!

데이비 네, 나리? 곧 가겠습니다. [바돌프에게] 술 한잔하시겠습니까, 나리?

사일런스 [노래부른다.] 좋은 포도주 한잔,

그대 위해 건배하리, 나의 애인이여. 45

마음이 유쾌해야 장수하는 법.

폴스타프 기가 막힌 말씀이외다, 사일런스 판사님.

사일런스 그러니 우리도 놀아보자고요, 놀기 좋은 밤 아닙니까.

폴스타프 사일런스 판사님의 건강과 장수를 위해 건배! 50

사일런스 [노래부른다.] 술잔을 채워 돌려라.

드럼통이라도 다 마실 테니.

섈로우 바돌프 님, 환영합니다. 부족한 것이 있는데 저희에게 요청하지 않으시면 너무하신 겁니다. 환영합니다, [시동에게] 땅꼬마 양반, 55 정말 환영하네! 바돌프 님과 런던 분들 모두를 위해 건배!

데이비 저도 죽기 전에 런던을 한 번만이라도 보고 싶습니다.

바돌프 런던에서 자네를 만날 지도 모르지, 데이비. 그러면—

섈로우 분명히 함께 술 한 되를 부어라 마셔라 하겠죠! 안 그렇습니까, 60 바돌프 님?

바돌프 그럼요, 나리. 그것도 댓 병으로 말입니다.

섈로우 정말, 감사합니다. 제가 장담하건대 저놈은 나리만 따라다닐 겁니다. 절대 떨어지지 않을 거예요, 저놈 순종이거든요. 65

바돌프 저도 꼭 붙어 다닐 겁니다, 나리.

섈로우 정말 멋진 말입니다. 부족한 거 없이 맘껏 드시고 즐기십시오!

[문 두드리는 소리 들린다.] 누가 왔나 가봐라. 아니, 누가 왔지?

[데이비 퇴장]

70 **폴스타프** [사일런스가 큰 술잔을 비우는 걸 보고 그에게] 이런, 저에게 제대로 화답하시는데요.

사일런스 [노래부른다.] 내게 화답해주세요.

무릎 꿇고 저를 위해 건배해주세요.

서밍고여.[91]

75 어떻습니까?

폴스타프 아주 좋습니다.

사일런스 그렇다면 이 늙은이도 쓸만한 데가 있네요.

데이비 재등장

데이비 황송하오나 나리, 피스톨이라는 사람이 궁정에서 전갈을 가지고 왔습니다.

80 **폴스타프** 궁정에서? 들여보내라.

피스톨 등장

피스톨, 어쩐 일인가!

---

91. 소실된 노래에 등장하는 영웅 밍고 경(Sir Mingo)을 잘못 알고 부르는 것으로 여겨진다.

피스톨 존 나리, 안녕하십니까!

폴스타프 무슨 바람이 불어 여길 왔는가, 피스톨?

피스톨 누구에게도 득이 되지 않는 나쁜 바람이 불어 온 것은 아닙니다.

존경하는 기사 나리, 나리는 이제 이 나라에서 제일 거대한 분 중 85

한 분이 되셨습니다.

사일런스 정말, 거대하긴 하지. 바손의 향사 퍼프만 빼고는.

피스톨 뭣이라?

네 놈을 휙 불어주마,[92] 이 겁쟁이 천박한 인간아.

존 나리, 전 나리의 친구 피스톨 아니겠습니까. 90

그래서 허겁지겁 말을 타고 달려왔습니다.

행운이 가득한 기쁨에 대한 소식, 황금시대가

열렸다는 소식, 값지고 행복한 소식을 전하러 말입니다.

폴스타프 제발, 이 세상 사람들이 알아들을 수 있도록 말해주게나. 95

피스톨 이 세상이니 천박한 속물 따위는 집어치우십시오.

아프리카의 황금과 같은 기쁨에 대해 말씀드리는 것이니.

폴스타프 이 천박한 아시리아 기사 같은 놈아, 그래 네 소식이 뭐냐고?

이 코페튜아 왕[93]께 그걸 아뢰란 말이다.

사일런스 [노래부른다.] 그리고 로빈 훗, 스칼렛과 존. 100

---

92. 이 부분에서 피스톨과 사일런스는 서로 상대방의 말을 자의적으로 해석하고 있다. 우선 사일런스는 피스톨이 greatest(가장 권력을 지닌)이라고 말한 것을 '덩치가 큰'이라고 해석하고 있다. 그리고 피스톨은 Puff라는 인물을 '한번 훅 불기'라는 보통 명사의 뜻으로 받아들여 이 말을 폴스타프에 대한 조롱으로 여긴다.

93. 유명한 발라드 <거지와 왕>(*A Beggar and King*)에 등장하는 아프리카의 왕으로 모든 여성을 다 뿌리치고 아름다운 거지 여인과 결혼했다.

피스톨 똥개가 헬리콘 산[94]에 대적하겠다는 건가?

그리고 희소식을 모욕하겠다는 건가?

그렇다면 피스톨, 그대의 머리를 복수의 여신의 무릎에 두어라!

섈로우 정직한 신사양반. 난 댁의 출신성분을 모릅니다.

105 **피스톨** 그렇다면, 그 점을 안타까워할지어다.

섈로우 실례지만, 만약 궁정으로부터 소식을 가져오셨다면 제 생각엔 그 소식을 말하거나, 아님 숨기거나 두 가지밖에 없을 것 같소. 나도 어느 정도는 국왕의 권한을 부여받고 있소이다.

110 **피스톨** 어느 왕의 권한을 말하는 거냐, 말하라, 아니면 죽여버리겠다.

섈로우 해리 왕 말이오.

피스톨 헨리 4세 아님 헨리 5세?

섈로우 헨리 4세, 해리 왕 말이오.

피스톨 그 따위 권한은 엿이나 먹어라!

존 나리, 나리의 순한 양이 이제 왕이 되셨습니다.

해리 5세가 바로 그분입니다. 사실입니다.

115 제 말에 거짓이 있다면 이렇게 손가락 욕을 하십시오.

허풍쟁이 스페인 사람처럼.[95]

폴스타프 뭐, 노왕이 돌아가셨단 말이냐?

피스톨 문에 박힌 못처럼 분명히요. 제 말은 사실입니다.

---

94. 헬리콘 산은 시신(Muses)과 연관 있는 그리스의 산이다. 이 장면에서 피스톨은 자신의 소식을 평소의 말투가 아닌 시적인 수사를 동원해서 하고 있다. 그래서 자신을 시신에 비유하고 있는 것이다.

95. 엄지손가락을 검지와 장지 사이에 끼우는 손가락 욕은 스페인에서 유래된 것이다.

폴스타프 바돌프, 어서 가서 말에 안장을 얹어라. 로버트 섈로우 판사님, 이 땅에서 하시고 싶은 관직이 있으면 말씀하시오. 그건 바로 당신 거요. 피스톨, 네게도 권력을 두 배 세 배 장전해주마.[96] 120

바돌프 아 정말 기쁜 날이군요! 기사 작위쯤은 행운으로도 여기지 않겠는데요.

피스톨 어때, 기쁜 소식 아닌가?

폴스타프 사일런스 판사를 침대로 옮겨라. 섈로우 판사님, 섈로우 경, 원하는 건 뭐든 하십시오. 난 행운의 여신의 집사이니! 어서 장화를 신으세요. 밤새도록 달려야 하니. 아, 고마운 피스톨! 가자, 바돌프! [바돌프 퇴장] 자, 피스톨, 더 말해보거라. 네게 득이 될만한 것도 고민해보고. 장화를 신으세요, 장화를, 섈로우 판사님! 아마 어린 왕이 내가 몹시 그리울 겁니다. 누구의 말이든 아무거나 타고 가자—영국의 법은 내 손 안에 있으니. 내 친구였던 사람들은 축복을 받고, 대법원장은 딱하게 되었구나! 125 130

피스톨 그자의 폐도 사나운 독수리들이 뜯어먹게 하세요![97] 135

'내가 예전에 누리던 삶은 어디 갔는가?'라고 그들은 말한다.

어디 있긴, 여기 있지. 행복한 나날이여, 어서 오라! [퇴장]

---

96. 피스톨(권총)이란 이름을 갖고 말장난을 하고 있다.

97. 프로메테우스가 신의 불을 훔쳐다 인간에게 준 죄로 제우스로부터 받은 벌을 인유한 것이다. 매일 낮에 독수리들이 그의 간을 쪼아 먹으면 밤사이에 그 간이 재생하곤 했는데 헤라클레스가 독수리를 사살하여 이런 고통에서 구해주었다.

4장

런던, 거리

형리들이 퀵클리 술집 주인과 돌 티어쉬트를 끌고 등장

주모 아냐, 이 순 악당 놈아! 차라리 하나님께 죽여달라고 빌고 싶다. 네 놈이 교수형 당하게. 내 팔을 끌어당겨 어깨뼈가 다 빠졌네.

형리 1 순사들이 이 여자를 내게 넘겨주었으니 분명 채찍 맛을 실컷 보게 될 거다. 이 여자 주변에서 최근에 사내 한둘이 살해됐거든.

5

돌 이 호두 갈고리 같은 놈아, 호두 갈고리, 거짓말 마라! 내가 말해주지, 이 천벌을 받을 내장 같은 악당아, 내 뱃속에 든 애만 잘못돼봐라. 넌 차라리 니 에미를 때리는 편이 나을 거다, 이 종잇장 같은 놈아.

10

주모 아, 하나님. 존 나리가 오시면 좋을 텐데! 그럼 이런 짓을 한 대가로 어떤 놈이든 피투성이를 만들 텐데. 하지만 하나님이 저 여자 뱃속의 아이는 잘못 되게 해주셨으면.

15

형리 1 그러면, 당신은 다시 쿠션 열두 개가 필요할걸. 지금은 열한 개지만.[98] 따라와, 너희 둘 다. 따라오라고. 당신과 피스톨이 함께 매질을 한 남자가 죽었으니.

돌 너 말이야. 향로에 새겨진 말라깽이 같은 놈아, 이런 짓을 한

---

98. 임신한 척하기 위해 쿠션을 배에 넣어야 한다는 말이다.

대가로 흠씬 두드려 맞게 해줄 테다. 파란 병[99] 같은 악당 놈아. 20
이 더럽게 말라빠진 형리 놈아, 네 놈이 두드려 맞지 않으면 내
속치마를 벗어버리겠다.

형리 1 가자고, 어서. 이 밤에만 설쳐대는 여장부야, 어서 가!

주모 오 신이시여, 이렇게 정의가 폭력을 제압하다니! 하지만 고통
끝에 낙이 온다지 않던가. 25

돌 가자, 가, 이 악당 놈아, 재판관한테 가자.

주모 그래 가자고, 이 굶주린 사냥개 놈아.

돌 이 해골바가지, 개뼈다귀 같은 놈아

주모 이 난쟁이 똥자루 같은 놈아!

돌 가자고, 이 말라깽이야, 가자고, 이 천해빠진 놈아. 30

향리 1 그래 좋다. [퇴장]

99. 당시 형리들은 요즘 경찰처럼 파란 외투를 입었다.

5장

웨스트민스터 사원 근처

골풀 뿌리는 시종 세 명 등장

시종 1 더 뿌리게, 더 뿌려.

시종 2 트럼펫 소리가 두 번 들렸네.

시종 3 2시 정각이면 다들 대관식장에서 오실걸세. 서두르게, 서둘러.

트럼펫 소리, 헨리 5세와 시종들 무대를 가로질러 간다.
그들 뒤로 폴스타프, 섈로우, 피스톨, 바돌프, 시동 등장한다.

5 **폴스타프** 내 옆에 서 계세요, 로버트 섈로우 판사님. 왕에게 인사를 시켜 드릴 테니. 왕이 지나가면 내가 곁눈질을 할 겁니다. 그러면 왕이 내게 어떤 표정을 짓는지 잘 보세요.

피스톨 나리의 허파에 축복이 있기를!

10 **폴스타프** 이리 와라, 피스톨, 내 뒤에 서 있어. [섈로우에게] 아, 새 옷을 사 입을 시간이 있었으면, 판사님에게서 빌린 천 파운드를 썼을 텐데. 하지만 상관없어요. 오히려 초라한 모습이 더 나을지도 몰라요. 이게 왕을 알현하고자 했던 나의 열정을 보여줄 테니.

15 **섈로우** 그렇죠.

폴스타프 내 진실한 애정도 보여주고요.

섈로우 그렇습니다.

폴스타프 내 헌신도요.

섈로우 정말 그렇습니다. 정말 그래요. 정말.

폴스타프 말하자면 밤낮 말을 달리고, 앞뒤 생각도 하지 않고, 아무것도 회상하지 않고, 옷 갈아입을 여유도 없이— 20

섈로우 정말 최고입니다.

폴스타프 오래 여행하여 꾀죄죄한 행색으로, 그를 보고 싶다는 일념으로 땀을 흘리면서, 그밖에 아무것도 생각하지 않고, 다른 일들은 모두 잊어버리고, 마치 그를 만나는 것 말고는 아무 일도 할 게 없다는 듯이 말이죠. 25

피스톨 그야말로 '이 외에는 아무것도 없다'요, '오로지 이것이 전부이다'네요.

섈로우 정말 그렇습니다. 30

피스톨 나리, 제가 나리의 고결한 간장에 불을 질러
분노케 하려 합니다.
나리의 고결한 마음 속 헬레네인 돌 양이
가장 천하고 더러운 손에 의해
끌려갔습니다. 35
잔인한 알렉토[100]의 뱀 머리를 지닌 복수의 여신을 암흑 동굴에서 깨우십시오.
돌이 체포되었으니. 피스톨은 진실만 말합니다.

폴스타프 내 그녀를 구해줄 것이다. [안에서 함성소리가 들리고 나팔 소리가 들린다.]

피스톨 노도와 같이 함성을 지르고 나팔 소리가 들립니다. 40

---

100. 세 명의 복수의 여신 중 한 명이다.

헨리 5세와 시종들 등장. 그중에 대법원장도 있다.

폴스타프 핼 왕께 신의 가호가 있기를! 나의 핼 왕이시여!

피스톨 하늘이여, 보호하소서, 명성이 자자하신 장난꾸러기 국왕 폐하를!

폴스타프 신의 가호가 있기를 나의 사랑하는 꼬마 친구여!

왕 대법원장, 저 어리석은 자에게 한 마디 하시오.

45 **대법원장** 정신이 있느냐, 어느 안전이라고 감히?

폴스타프 나의 왕이시여! 나의 조우브 신이시여! 내 그대에게 말하고 있다네!

왕 짐은 그대를 모르네, 늙은 양반. 무릎 꿇고 기도나 드리게.

백발은 바보 광대에게는 어울리지 않는 법!

짐은 오랫동안 저런 인간을 꿈에서 보아왔네.

50 너무 먹어 퉁퉁 붓고, 늙고, 불경한 자를.

하지만 이제 꿈에서 깨어나 짐은 그 꿈을 경멸한다.

앞으로는 몸뚱이 좀 줄이고, 덕을 더 쌓거라.

폭음과 포식은 삼가거라. 네 무덤은 다른 사람들보다

세 배나 더 입을 크게 벌려야 한다는 걸 명심하고.

55 바보 같은 농담으로 짐의 말에 대답하지 말거라.

짐이 과거의 나라고 생각지도 말고.

하나님도 알고 계시듯, 짐이 과거의 나와는

결별했음을 세상이 알게 될지니.

과거에 짐과 함께 다녔던 자들과도 그리할 것이다.

60 짐이 지금까지와 똑같다는 말을 듣거든

그때 짐에게 오라. 그땐 과거처럼 그대가

짐의 난폭한 행실의 스승이요, 사육자가 될 테니.

그러니 그때까지는 짐을 잘못 이끌었던 나머지 자들에게
그랬듯이 그대를 추방하노라. 어기면 사형이다.
짐의 근처 10마일 이내로 접근하지 말라. 65
살아갈 방도는 제공할 것이다.
살아갈 방도가 없으면 악에 빠질 테니.
그대들이 개과천선했다는 소식을 들으면
그대들의 능력과 자질에 따라
등용하겠노라. [대법원장에게]
짐이 지금 지시한 대로 70
잘 거행되는지 경이 책임지고 지켜보시오.
계속 행진하라. [왕과 시종들 퇴장]

폴스타프 섈로우 판사, 내가 천 파운드를 차용했죠.

섈로우 그렇습니다, 존 나리, 부디 그 돈만이라도 가지고 집으로 돌아가게 해주십시오. 75

폴스타프 그렇게는 안 될 것 같습니다. 섈로우 판사. 지금 이 상황에 너무 슬퍼하지 마세요. 곧 은밀하게 날 불러갈 겁니다. 보세요, 왕도 세상 사람들에게 그런 척해야 하는 겁니다. 등용시켜 드릴 테니 걱정 마세요. 당신을 거대하게 만들어줄 사람은 아직도 이 사람뿐입니다. 80

섈로우 어떻게 하시겠다는 건지 잘 모르겠습니다. 나리의 코트에 지푸라기를 잔뜩 채워 제게 주시지 않는 한 말입니다.[101] 부디 존 나리,

---

101. 섈로우는 폴스타프가 자신의 신분을 대단하게(great) 만들어주겠다는 말을 몸집을 크게(great) 만들어준다는 뜻으로 받아 말장난을 하면서 폴스타프를 조롱하고 있다.

천 파운드 중 오백 파운드만이라도 돌려주십시오.

85 **폴스타프** 판사님, 반드시 약속을 지킬 겁니다. 지금 들은 말은 왕의 진심이 아닙니다.

섈로우 왕의 본심이 나리를 죽이려는 것이 아닌가 두렵습니다, 존 나리.

폴스타프 왕의 진심은 걱정 마세요. 가서 식사나 합시다. 가세, 피스톨

90 기수. 가자고, 바돌프. 밤에 불려갈 테니.

랑카스터 공 존 왕자와 대법원장, 관리들과 같이 등장

대법원장 기사 존 폴스타프를 플리트 감옥으로 끌고 가라.

함께 있는 자들도 모두 끌고 가라.

폴스타프 나리, 나리 —

대법원장 지금은 얘길 나눌 수 없다. 나중에 듣겠다.

95 모두 끌고 가라.

피스톨 운명이 나를 괴롭혀도 희망이 나를 만족케 하노라.

[랑카스터 공 존 왕자와 대법원장을 제외하고 모두 퇴장]

랑카스터 폐하의 이런 공정한 조처가 맘에 듭니다.

폐하께서는 함께 했던 자들에게

살아갈 수단을 후하게 제공할 작정이셨으나

100 그들의 거동이 세상 사람들의 눈에 좀 더 현명하고

경거망동해 보이지 않을 때까지 추방시키셨습니다.

대법원장 과연 그렇습니다.

랑카스터 폐하께서 의회를 소집하셨지요.

대법원장 그렇습니다.

랑카스터 장담하건대, 올해가 끝나기 전에 105
내란으로 휘둘렀던 검과 총이 프랑스로
뻗을 것입니다. 새가 그렇게 노래하는 것을 들었습니다.
제 생각에 폐하도 그 노래를 맘에 들어 하시는 것 같았습니다.
자, 그럼 가실까요? [퇴장]

에필로그

무용수가 말한다.

무용수 먼저 저의 걱정을, 그리고 인사를, 마지막으로 한 말씀 드리겠사옵니다.

저의 걱정은 여러분들이 불쾌하지 않으셨나 하는 것입니다. 저의 인사는 저의 마땅한 의무이고, 제가 드리고자 하는 말씀은 이 극을 너그러이 봐달라는 부탁입니다. 만약 멋진 연설을 기대하신다면, 낭패입니다. 지금 제가 말씀드리는 것은 제 자신이 만든 것이라 분명 나 자신을 망칠 것이라 우려되기 때문입니다. 허나 하고자 했으니, 한번 해보겠습니다. 여러분도 아시다시피 최근에 저는 흡족지 못한 연극을 끝내면서 이 자리에 서서 여러분의 너그러운 용서를 부탁드리고 더 좋은 연극을 약속드렸습니다. 진정 이 연극으로 그 약속을 지키려 하였으나 만약 이 극이 잘못된 상선처럼 불행하게 집으로 돌아온 것이면 소인은 약속을 어긴 셈이고, 채권자인 여러분들은 손실을 입은 것입니다. 제가 이 자리에서 그러겠다고 약속드린 대로 이제 제 몸을 여러분의 처분에 맡기겠습니다. 제 부채를 조금 덜어주시면 일부는 갚고 대부분의 채무자가 그렇듯이 두고두고 갚겠습니다. 그래서 전 여러분 앞에 무릎 꿇으나 실은 여왕 마마를 위해 기도드리기 위해서입니다.

내 입만으로 여러분의 용서를 구할 수 없다면 제 다리를 사용하라 명하시는 겁니까? 그래도 춤을 추어 빚을 갚을 수 있다면 그건

가벼운 탕감일 것입니다. 하지만 양심이 살아 있어 어떻게든 만족 20
하실 방도를 찾아낸다면 저도 그리하고 싶습니다. 여기 계신 모든
숙녀분이 절 용서하셨습니다. 만약 신사분들이 용서 못 하신다면
신사분들이 숙녀분들의 생각에 동의를 안 하시는 것이오니, 이는
이런 자리에서는 전대미문의 상황이 될 것입니다. 25

한 말씀만 더 드리겠습니다. 만약 여러분이 기름진 고기에 너무
물리신 게 아니라면 저희의 겸손한 작가가 기사 존이 등장하고
프랑스의 아름다운 캐서린 여왕을 즐길 수 있는 이야기[102]를 계속
쓰고자 합니다. 그 이야기에서 제가 아는 것은 폴스타프가 땀이
나서 죽는다는 것입니다.[103] 만약 여러분의 혹독한 평가로 그 전 30
에 미리 죽는 것이 아니라면 말입니다. 올드캐슬[104]은 순교를 했
지만 이 사람은 그분이 아니니까요. 제 혀가 이제 지치고 다리도
지쳤으니 이만 여러분께 작별을 고하고자 합니다.

---

102. 이 이야기는 『헨리 5세』를 언급하는 것이다. 헨리 5세는 프랑스 공주 캐서린을 왕비로 맞이했다. 이 에필로그대로라면 『헨리5세』에도 폴스타프가 등장할 예정이었던 것 같다. 하지만 실제 극에는 폴스타프가 등장하지 않는다.

103. 성병에 걸려 죽는다는 뜻이다. 성병에 걸리면 그 증상 중 하나가 땀을 흘리고 열이 나는 것이다.

104. 셰익스피어는 원래 역사적 인물 존 올드캐슬 경(Sir John Oldcastle)을 등장인물로 삼았으나 그의 후손이 이의를 제기하자 폴스타프란 이름으로 바꾸었다. 존 올드캐슬 경은 실제로 폴스타프의 모델로 황태자 헨리와 교분을 나누었다. 셰익스피어의 『헨리 4세』의 원전 중 하나인 작자미상의 『헨리 5세의 유명한 승리』(*The Famous Victories of Henry the Fifth*)에서 올드캐슬은 왕자 할(즉 헨리)의 친구로 잠시 등장한다. 올드캐슬은 종교개혁자였던 존 위클리프(John Wyclif)의 영향을 받아 위클리프 파가 되었고 1414년에 이단자로 체포되었다. 나중에 헨리 5세 재위 때 반란을 주도한 죄로 1417년에 교수형을 당했다. 그는 후에 종교개혁자나 청교도 지도자들에 의해 종교적 순교자로 추앙받았다.

작품설명

『헨리 4세』 2부는 셰익스피어의 제2사부작, 즉 랑카스터 4부작인 『리처드 2세』, 『헨리 4세』 1부, 『헨리 4세』 2부, 『헨리 5세』 중 세 번째 극으로 미완의 상태로 끝난 『헨리 4세』 1부에 이어지고 있다. 1600년 8월에 서적조합에 등록되었지만 1595년 말에 쓰인 1부에 이어 늦어도 1597년까지는 쓰인 것으로 추정된다.

1부 끝부분에서 헨리 4세는 둘째 존 왕자가 이끄는 왕실군을 남아 있는 반란세력인 노섬벌랜드와 요크 대주교를 섬멸하기 위해 출정시켰다. 원래 역사적으로는 1403년에 슈르스베리 전투가 있었고, 1405년에 요크 대주교 일당의 반란이 일어났으며, 1408년에 노섬벌랜드 백작의 반란이 일어났다. 그러나 셰익스피어는 극적 편의를 위해 이런 역사적 시차를 무시하고 그 사건들이 동시에 일어난 것으로 처리하고 있다. 이것이 바로 셰익스피어가 역사를 다루는 방식이다.

요크셔에 모인 반란군 일행에게 노섬벌랜드의 원군이 오지 못한다는 비보가 전해진다. 이로 인해 의기소침해 있던 반란군에게 존 왕자가 사신을 보내 화친을 청한다. 그들의 화친조건을 모두 수용하겠다는 존 왕자의 말을 믿고 반란군은 군대를 해산한다. 그러자 존 왕자는 서약을 파기하고 대주교와 모우브레이를 대역죄로 체포하여 처형한다. 이렇게 왕실군은 존 왕자의 마키아벨리적 술수로 반란군을 진압한다. 셰익스피어는 반란 진압군의 총사령관인 존 왕자의 마키아벨리적 전략을 부각시킴으로써 권력의 추악한 이면을 묘사한다. 반란 진압의 쾌보에도 반란과 내란의 소용돌이 속에 고뇌하던 헨리 4세는 병이 난다. "행복한 미천한 자들이여, 잠들거라! 왕관을 쓴 머리에는 근심 걱정뿐이니."(2부 3.1.30-31)라고 불면의 고통을 토로한다. 이 또한 화려해 보이는 권력의 또 다른 이면이라 할 수 있다.

왕이 혼수상태에 빠져 있는 동안 핼 왕자는 왕이 죽었다고 생각하고 왕관을 들고 나가 부왕의 죽음을 슬퍼한다. 그때 왕이 정신이 들어 왕관이 사라졌음을 깨닫고, 왕관을 핼 왕자가 가져간 것을 알게 된다. 왕자의 역심을 의심한 왕은 핼 왕자의 성급한 욕망에 심히 분노한다. 왕은 핼 왕자가 왕이 된 뒤에 왕국이 겪게 될 무질서와 혼란을 생각하며 비탄에 빠진다. 노여워하는 왕에게 핼 왕자는 무릎을 꿇고 자신이 왕의 권력을 탐한 것이 절대 아니었노라고 눈물로 호소한다. 이에 왕은 왕자를 용서하고 화해한다. 이 장면은 방탕한 생활을 하던 핼 왕자를 용서해주던 1부의 장면과 대칭을 이루는 용서와 화해의 장면이다. 헨리 4세는 자신이 왕권 찬탈과 관련된 모든 오명을 짊어지고 무덤으로 떠날 테니 정당한 왕위 계승자로써 태평성대를 누리라고 기원해준다. 이에 핼 왕자는 왕권을 보존하기 위해 혼신의 노력을 다하겠다고 약속한다. 그러자 왕은 비로소 불안과 걱정의 연속이던 자신의 삶을 마치고 편안한 마음으로 임종을 맞이한다. 이때 왕은 핼 왕자에게 "경박한 자들은 외국과의 전쟁에 여념이 없게 만들어라. 그곳에서 활약하느라 이전 일들에 대한 기억을 잊도록 말이다."(2부 4.5.213-215)라고 충고한다. 민심을 돌리기 위한 고의적 전쟁이란 대단히 마키아벨리적 통치수단으로 이 대사는 권력과 전쟁과의 상관관계를 적나라하게 보여준다.

결국 핼 왕자는 헨리 5세로 등극하게 된다. 많은 이들이 그가 선왕을 이어 등극하는 모습을 우려 속에 지켜본다. 그러나 모두의 예상과 달리 왕은 대법원장이 강직하게 정의를 수행하던 것을 치하하며 앞으로도 법을 심판하는 직무를 수행해줄 것을 요청한다. 한편 타락한 생활의 동반자이던 핼 왕자가 왕위에 등극했다는 소식을 듣고 폴스타프는 "이제 영국의 법이 내 손아귀에 있다."라고 외치며 서둘러 그의 대관식 행렬을 보러 온다. 그러나 왕은 단호하게 폴스타프와 지낸 과거를 자기가 꾼 '악몽'이라고 하며, 폴스타프에게 그의 근처 10마일 이내에는 접근하지 말라고 경고한다. 또한 폴스타프에게 그동안의 악덕을 버리고 새로운 삶을 살되 개과천선하는 모습을 보이면 등용의 길을 열어 주겠노라고 약속한다. 이렇듯 방탕하던 과거를 깨끗이 청산한 그는 국회를 소집하고 훌륭한 인재를 등용하고 프랑스 정벌을 준비한다. 이렇게 헨리 5세로 변모하는 핼 왕자에 대한 평도 다양하다.

폴스타프를 제거하고 이상적인 군주로 우뚝 서는 그를 군왕의 모범으로 바라보는 평자들이 있는가 하면 폴스타프 일당을 이용한 위선적 수단을 동원하여 자신의 이미지를 구축하는 마키아벨리적 군주로 보는 평자도 있다. 또한 폴스타프를 부정하는 태도로 보아 축제를 용납하지도 이해하지도 못하는 인물로 평하는 사람들도 있다. 박우수는 핼 왕자가 국왕으로 등극하는 것은 구세대로 상징되는 과거의 짐에서 벗어난다는 의미를 지닌다고 말하면서 폴스타프를 헨리 왕과 노섬벌랜드 백작을 위시한 구세대 일원으로 보고 그와 핼 왕자의 결별이 필연적임을 지적한다. (『셰익스피어의 역사극』, 110-11)

『헨리 4세』 1부와 2부는 극적 구성이 정교하게 대응한다. 2부는 1부에서 벌어진 일들이 교묘하게 반복되는 대칭구조를 띠고 있다. 장과 막의 수도 거의 비슷하고 희극적 장면과 역사적 장면이 교차되는 것도 교묘히 맞아떨어진다. 폴스타프는 1부에서처럼 2부에서 또다시 모병 임무를 맡게 된다. 1부에서와 마찬가지로 그는 뇌물을 받고 징집을 면제해 주고 가난하고 병약하고 굶주린 자들만 소집한다. 1부 2막 3장에서 핫스퍼가 출격하면서 아내와 언쟁을 벌인 것처럼, 2부 2막 3장에서는 노섬벌랜드의 출정을 놓고 백작 부인과 핫스퍼의 아내, 즉 며느리가 언쟁을 벌인다. 그리하여 노섬벌랜드는 그들의 설득에 따라 1부에서처럼 다시 스코틀랜드로 피신하고 참전하지 않는다. 1부, 2부 모두 2막 4장의 배경이 이스트칩이다. 왕이 방탕한 왕자를 걱정하거나 부자간에 용서하고 화해하는 에피소드도 2부에 다시 등장한다.

그러나 2부에서는 많은 것이 1부와 달라져 있다. 왕은 병이 들고 폴스타프 또한 매독에 걸려 고생한다. 그리고 2부에서 변모한 핼 왕자는 강력하고 안정된 국가를 만들어 나갈 지도자로서의 역량을 보여주지만, 그 질서를 위해 폴스타프의 자유로운 개성은 억압된다.

셰익스피어는 다른 역사극에서처럼 이 극에서도 대중과 정치와의 관계를 묘사한다. 대주교는 다음 대사에서 군중들의 변덕스런 심리를 한탄한다.

대주교 오, 어리석은 대중들이여, 그대들은 볼링브로크를 위한
기도로 하느님을 얼마나 괴롭혔던가.
그가 그대들이 원하는 사람이 되기 전까지는.
이제 그대들이 원하는 복장으로 꾸미고 나니
짐승같이 먹어대는 그대들은 그를 너무 실컷 맛보아서
이제 그를 토해내려 하는구나.
(2부 1막 3장 91-95)

'리처드 2세의 훌륭한 머리에 흙을 던지며' 헨리 4세를 환호하던 군중들이 이제 헨리 4세의 흠을 잡기 시작한 것이다. 이렇듯 셰익스피어는 많은 극에서 군중들을 어리석고 변덕스러운 무리로 제시한다. 대주교는 이런 군중들의 변덕을 늘 현재에는 만족하지 못하는 인류 보편적인 심리 때문이라고 보고, "저주받을 인간의 생각이여! 과거와 미래는 좋게만 보이고 현재는 최악으로 보이는구나."(2부 1.3.107-8)라는 대사를 통해 안타까워한다.

이 극에는 권력에 대한 탐욕과 관련된 질병 이미저리가 넘친다. 왕은 "경들도 우리나라가 얼마나 심한 병에 걸리고, 얼마나 고약한 질병들이 자라나고 있으며 그로 인해 심장 부근까지 얼마나 위험한 상태인지 알았을 것이오."(2부 3.1.38-40)라고 말한다. 그리고 진압군의 한 장수인 웨스트멀랜드 백작이 대주교에게 복음을 전해야 할 사람이 왜 군대를 일으켰는지를 묻자 "우리는 모두 병이 들었소. 과식과 방탕한 시간을 보내 타는듯한 열병에 걸렸소."(2부 4.1.54-56)라고 대답한다.

셰익스피어는 『헨리 4세』 1, 2부에서 탕아에서 이상적 군주로 발전하는 왕자라는 민담적 요소와 폴스타프를 중심으로 한 민중적 요소를 첨

가하여 그만의 독특한 사극 세계를 창조해냈다. 폴스타프는 1부에서와 마찬가지로 2부에서도 청교도적 윤리개념의 극단에 서서 극적 에너지를 방출하는 인물로 등장한다. 바흐친은 폴스타프가 추구하는 무질서, 무절제, 본능적이고 육체적인 요소는 고답적이고 추상적이며, 정신적이고 이상적인 모든 것들의 위상을 낮추는 역할을 한다고 주장했다(박우수, 위의 책 118에서 재인용). 박우수는 그의 지극히 본능적이고 현실적인 태도는 추상적인 모든 상위 가치에 대한 풍자라고 주장한다(위의 책 135). 아울러 폴스타프는 냉소적 현실주의 권력구조가 내포하고 있는 본질적 모순에 대한 냉철한 통찰자이다.

그를 통해 셰익스피어는 역사의 진지함을 가볍게 만들고 일정한 거리를 두고 정치권력을 풍자하고 있다. 섈로우라는 지방관료의 위선적 속물근성, 모병 과정을 통해 엿볼 수 있는 타락한 관료, 개인의 삶을 희생시키는 정치권력의 속성 등을 담고 있는『헨리 4세』1부와 2부는 흔히 애국심이라는 국민적 자긍심을 위해 썼다고 알려진『헨리 5세』와는 다소 정치적 관점이 다르다고 볼 수 있다.

셰익스피어 생애 및 작품 연보

셰익스피어의 생애와 작품의 집필연대 중 일부는 비교적 정확히 기록되어 있는 자료에 의존할 수 있지만, 대부분은 막연한 자료와 기록의 부족으로 그 시기를 추정할 수밖에 없으며, 특히 작품 연보의 경우 학자들에 따라 순서나 시기에 차이가 있음을 밝힌다.

1564	잉글랜드 중부 소읍 스트랫포드 어폰 에이번Stratford-upon-Avon 출생(4월 23일). 가죽 가공과 장갑 제조업 등 상공업에 종사하면서 마을 유지가 되어 1568년에는 읍장에 해당하는 직high bailiff을 지낸 경력이 있는 존 셰익스피어와, 인근 마을의 부농 출신으로 어느 정도 재산을 상속받은 메리 아든Mary Arden 사이에서 셋째로 출생. 유복한 가정의 아들로 유년시절을 보냄.
1571	마을의 문법학교Grammar School에 입학했을 것으로 추정.
1578	문법학교를 졸업했을 것으로 추정. 졸업 무렵 부친 존은 세금도 내지 못하고 집을 담보로 40파운드 빚을 냄.
1579	부친 존이 아내가 상속받은 소유지와 집을 팔 정도로 가세가 갑자기 어려워짐.
1582	18세에 부농 집안의 딸로 8년 연상인 26세의 앤 해서웨이Anne Hathaway와 결혼(11월 27일 결혼 허가 기록).
1583	결혼 후 6개월 만에 맏딸 수잔나Susanna 탄생(5월 26일 세례 기록).
1585	아들 햄넷Hamnet과 딸 쥬디스Judith(이란성 쌍둥이) 탄생(2월 2일 세례 기록).

1585~1592 '행방불명 기간'lost years으로 알려진 8년간의 행방에 관한 자료가 거의 없음. 학교 선생, 변호사, 군인, 혹은 선원이 되었을 것으로 다양하게 추측. 대체로 쌍둥이 출생 이후 어떤 시점(1587년)에 식구들을 두고 런던으로 상경하여 극단에 참여, 지방과 런던에서 배우이자 극작가로서 경험을 쌓았을 것으로 추측.

1590~1594 1기(습작기): 주로 사극과 희극 집필.

1590~1591 초기 희극 『베로나의 두 신사』(*The Two Gentlemen of Verona*)
『말괄량이 길들이기』(*The Taming of the Shrew*)

1591 『헨리 6세 2부』(*Henry VI*, Part II)(공저 가능성)
『헨리 6세 3부』(*Henry VI*, Part III)(공저 가능성)

1592 『헨리 6세 1부』(*Henry VI*, Part I)(토머스 내쉬Thomas Nashe와 공저 추정)
『타이터스 앤드러니커스』(*Titus Andronicus*)(조지 필George Peele과 공동 집필/개작 추정)

1592~1593 『리처드 3세』(*Richard III*)

1592~1594 봄까지 흑사병 때문에 런던의 극장들이 폐쇄됨.

1593 「비너스와 아도니스」(*Venus and Adonis*)(시집)

1594 「루크리스의 강간」(*The Rape of Lucrece*)(시집)
두 시집 모두 자신이 직접 인쇄 작업을 담당했던 것으로 추정되며, 사우샘프턴 백작The third Earl of Southampton에게 헌사하는 형식.
챔벌린 극단Lord Chamberlain's Men의 배우 및 극작가, 주주로 활동.

1593~1603 및 이후 『소네트』(*Sonnets*)

1594	『실수 연발』(*The Comedy of Errors*)
1594~1595	『사랑의 헛수고』(*Love's Labour's Lost*)
1595~1600	2기(성장기): 낭만희극, 희극, 사극, 로마극 등 다양한 장르 집필.
1595~1596	『로미오와 줄리엣』(*Romeo and Juliet*)
	『리처드 2세』(*Richard II*)
	『한여름 밤의 꿈』(*A Midsummer Night's Dream*)
	『존 왕』(*King John*)
1596	아들 햄넷 사망(11세, 8월 11일 매장).
	부친의 가족 문장 사용 신청을 주도하여 허락됨(10월 20일).
1596~1597	『베니스의 상인』(*The Merchant of Venice*)
	『헨리 4세 1부』(*Henry IV*, Part I)
	스트랫포드에 뉴 플레이스 저택Great House of New Place 구입(마을에서 두 번째로 큰 저택으로 런던 생활 후 은퇴해서 죽을 때까지 그곳에 기거).
1598	벤 존슨Ben Jonson의 희곡 무대에 출연.
1598~1599	『헨리 4세 2부』(*Henry IV*, Part II)
	『헛소동』(*Much Ado About Nothing*)
	『헨리 5세』(*Henry V*)
1599	시어터 극장The Theatre에서 공연하던 셰익스피어의 극단이 땅주인의 임대계약 연장을 거부하자 '극장'을 분해하여 템즈강 남쪽 뱅크사이드 구역으로 옮겨 글로브 극장The Globe을 짓고 이곳에서 공연. 지분을 투자하여 극장 공동 경영자가 됨.
1599~1600	『줄리어스 시저』(*Julius Caesar*)
	『좋으실 대로』(*As You Like It*)

1601～1608	3기(원숙기): 주로 4대 비극작품이 집필, 공연된 인생의 절정기
1600～1601	『햄릿』(*Hamlet*)
	『윈저의 즐거운 아낙네들』(*The Merry Wives of Windsor*)
	『십이야』(*Twelfth Night*)
1601	「불사조와 거북」(*The Phoenix and the Turtle*)(시집)
	아버지 존 사망(9월 8일 장례).
1601～1602	『트로일러스와 크레시다』(*Troilus and Cressida*)
1603	엘리자베스 여왕 사망(3월 24일). 추밀원이 스코틀랜드의 제임스 6세를 잉글랜드의 제임스 1세로 선포.
	제임스 1세 런던 도착(5월 7일) 후 셰익스피어 극단 명칭이 챔벌린 경의 극단에서 국왕의 후원을 받는 국왕 극단King's Men으로 격상되는 영예(5월 19일).
	제임스 1세 즉위(7월 25일).
1603～1604	『자에는 자로』(*Measure for Measure*)
	『오셀로』(*Othello*)
1605	『끝이 좋으면 다 좋다』(*All's Well That Ends Well*)
	『아테네의 타이먼』(*Timon of Athens*)(토머스 미들턴Thomas Middleton과 공동작업)
1605～1606	『리어 왕』(*King Lear*)
1606	『맥베스』(*Macbeth*)
	『안토니와 클레오파트라』(*Antony and Cleopatra*)
1607	딸 수잔나, 성공적인 내과의사인 존 홀John Hall과 결혼(6월 5일).
1607～1608	『페리클레스』(*Pericles*)(조지 윌킨스George Wilkins와 공동작업)
	『코리올레이너스』(*Coriolanus*)

1608~1613	제4기: 일련의 희비극 집필.
1608	셰익스피어 극장이 실내 극장인 블랙프라이어스Blackfriars 극장을 동료배우들과 함께 합자하여 임대함(8월 9일). 어머니 메리 사망(9월 9일 장례).
1609	셰익스피어 극장이 블랙프라이어스 극장 흡수, 글로브 극장과 함께 두 개의 극장 소유.
1609~1610	『심벌린』(*Cymbeline*)
1610~1611	『겨울 이야기』(*The Winter's Tale*) 『태풍』(*The Tempest*)
1611	고향 스트랫포드로 돌아가 은퇴 추정.
1613	『헨리 8세』(*Henry VIII*)(존 플레처John Fletcher와 공동작업설) 『헨리 8세』 공연 도중 글로브 극장 화재로 전소됨(6월 29일).
1613~1614	『두 사촌 귀족』(*The Two Noble Kinsmen*)(존 플레처와 공동작업)
1614~1616	말년: 주로 고향 스트랫포드의 뉴 플레이스 저택에서 행복하고 평온한 삶 영위.
1616	둘째 딸 쥬디스, 포도주 상인 토마스 퀴니Thomas Quiney와 결혼(2월 10일). 쥬디스의 상속분을 퀴니가 장악하지 않도록 유언장 수정(3월 25일). 스트랫포드에서 사망(4월 23일. 성 삼위일체 교회 내에 안장).
1623	『페리클레스』를 제외한 36편의 극작품들이 글로브 극장 시절 동료 배우 존 헤밍John Heminge과 헨리 콘델Henry Condell이 편집한 전집 초판인 제1이절판으로 출판됨. 아내 앤 해서웨이 사망(8월 6일)

옮긴이 **권오숙**

한국외국어대학교 영어과를 졸업한 뒤 동 대학교 대학원에서 셰익스피어 4대 비극을 연구하여 박사학위를 받았다. 현재 한국외국어대학교, 덕성여자대학교, 서울과학기술대학교에서 셰익스피어를 비롯한 영문학과 고전문학, 문학번역 등을 가르치고 있다. 현재 한국셰익스피어학회의 교육이사로 활동 중이다. 셰익스피어를 중심으로 한 인문학 강연활동도 활발히 하여 셰익스피어 대중화에 힘쓰고 있다. 셰익스피어를 중심으로 다양한 저술활동도 하고 있다. 주요 연구 업적으로는 『셰익스피어: 연극으로 인간의 본성을 해부하다』, 『셰익스피어, 대학로에서 연극을 보다』, 『셰익스피어와 후기 구조주의』(2008 문광부 선정 우수 학술도서), 『셰익스피어 그림으로 읽기』(2005 학술진흥재단 선도연구자 지원 사업 선정), 『청소년을 위한 셰익스피어』(2011 대한출판협회 선정 올해의 청소년 도서), 『그녀들은 자유로운 영혼을 사랑했네』(공저, 2012 대한출판협회 선정 올해 청소년 도서), 『여성 문화의 새로운 시각』 5, 7, 8권(공저, 2011 문광부 선정 우수 학술도서) 등의 저술이 있다. 『살로메』, 『맥베스』, 『오셀로』 등을 번역했으며 「『베니스의 상인』과 〈이춘풍전〉의 비교 문학적 연구」 등 다수의 논문이 있다.

헨리 4세 2부

초판 발행일 2016년 7월 29일

옮긴이 권오숙
발행인 이성모
발행처 도서출판 동인
주 소 서울시 종로구 혜화로3길 5 118호
등 록 제1-1599호
TEL (02) 765-7145 / FAX (02) 765-7165
E-mail dongin60@chol.com
ISBN 978-89-5506-721-7
정 가 10,000원

※ 잘못 만들어진 책은 바꿔 드립니다.